# 영웅과 만남

## 영웅과 만남

발　행 | 2023년 12월 28일
저　자 | 전남대학교사범대학부설중학교 3학년 학생들, 김영광
펴낸이 | 한건희
펴낸곳 | 주식회사 부크크
출판사등록 | 2014.07.15.(제2014-16호)
주　소 | 서울특별시 금천구 가산디지털1로 119 SK트윈타워 A동 305호
전　화 | 1670-8316
이메일 | info@bookk.co.kr

ISBN | 979-11-410-6254-5

www.bookk.co.kr

# 영웅과

# 만남

전남대학교사범대학부설중학교 3학년과 선생님 지음

# CONTENT

# 3

## 시작과 끝, 그리고 결말

# 4

## 말하고 픈 마음 첫째

# 5 말하고 픈 마음 둘째

# 6 말하고 픈 마음 셋째

# 7 말하고 픈 마음 넷째

# 8 말하고 픈
## 마음 다섯째

# 9
## 과학 수업
## 우리들의 추억

# 여는 글

하늘의 별이 된 영웅에게 이 책을 바칩니다.
그리고 우리 아이들의 마음을 전합니다.

전쟁으로 고통을 겪고 있는 지구촌에 영웅 안중근이 바라던 평화가 하루빨리 실현되기를 간절히 바랍니다.

과학 수업 시간을 활용하여 전대사대부중 3학년 학생들과 '나도 작가되기'라는 과학 소설 시화 프로젝트로 책 만들기를 1년간 진행했습니다. 국어 시간에 배운 시와 소설, 한국사 시간에 배운 안중근과 근현대사, 과학 시간에 배운 과학 개념을 시와 소설의 형태로 융합하여 표현하고자 하였고, 마침내 프로젝트를 완성했습니다.

하늘의 별이 된 영웅의 미완성 동양 평화론을 우리 아이들만의 방식으로 영웅 안중근을 기억하고 이 책을 통해 세계의 평화로 확장될 수 있기를 바라는 마음을 담았습니다.

엮음이 과학 교사 김영광

# 1 익숙한
시작

# 제1화 듣기 싫은 그 사람

정 채 원 , 노 윤 서

'이 …없어 잘…길.'
'…화해, 어깨…고 …'
'안중근은… …줘..'

"…안!"
"ㅇ, 요안!"
"안요안!!!!!"

"헉…!!"

아, 다 꿈이었다. 무슨 꿈이 이렇게 생생한지. 아직도 귀 옆에서 누군가가 소리치고 있는 것 같았다. 그리고 안중근은 또 뭔가? 정말 뜬금없는 것을 보니, 아무리 생각해도 개꿈밖에는 더 안 되는 것 같았다. 나는 고개를 저어 꿈을 잊으려 노력했다. 이런 거 오래 생각했다가는 재수 옴 붙는다고.

"헉은 무슨 헉이니? 수업 시간에 그만 졸고, 이번 발표는 요안이가 하도록 하자. 너는 안중근이 어떤 사람이라고 생각해?"

또 안중근이다, 안중근. 꿈에서도 안중근, 현실에서도 안중근. 나는 안중근이 정말 싫다. 다들 우리나라를 구한 영웅이라고 말하는데 우리는 고조할아버지 때부터 안중근을 좋아하지 않아서 그런지 사실 나는 잘 모르겠다. 내가 안중근에 대해 제일 먼저 배운 것, 그리고 배워온 것은 그가 테러리스트라는 것. 그것뿐이었다.

"안중근은 테러리스트입니다. 다른 나라의 중요한 인물을 죽이고 민간인을 대상으로 직접적인 폭력 행위를 행사했으며 인명피해를 발생시켰죠."

내가 발표를 하자. 모든 아이들의 눈이 나에게로 향해 따끔한 시선을 보내는 것이 온 피부로 느껴졌다. 선생님께서도 잠시 아무 말 없이 나를 바라보았다. 아니, 사실은 눈빛으로 내게 말을 하고 있었던 것 같다. 선생님의 눈을 바라보니 아무래도… '제정신이 아닌 아이'라고 생각하고 있는 것 같다. 저런 눈빛은 잘 알아볼 수 있다. 익숙하기 때문에 같은 반 아이들에게도 종종 받던 것이니.

"안요안, 너 정말 안중근 의사가 테러리스트라고 생각해?"

"네, 아무리 나라를 위한 일이더라도 안중근이 한 행동들은 정당하지 않았어요. 안중근에게 직접적으로 해를 끼치지 않은 이토 히로부미를 죽게 했잖아요. 그리고 동양평화론은 정말 말도 안 되는 소설에 불과하다고 생각합니다."

나의 말을 듣자마자 선생님께서는 화를 내시면서 나에게 소리쳤다. 어쩐지 화가 나 보이는 모습이었다. 그러나 나는 이해가 되지 않았다. 내 말은 객관적인 사실이고 나중에 결국은 받아들일 텐데.

"...내일까지 네가 무슨 잘못을 했는지 생각하고 반성문 써오도록 해!"

"네…"

"자, 그럼, 다음으로 안중근과 관련된 동양평화론에 대해 알아보도록 하자. 동양평화론이란 안중근이 감옥에서 재판에서 하지 못한 이야기를 적으려 했던 책이야."

나는 어쩐지 동양평화론이 익숙하다고 느꼈고 뭔가 혼자

동양평화론 뒤가 이상하다고 느꼈다. 그렇지만 다른 애들은 아무 생각이 없어 보였고 애초에 나는 동양평화론을 더 안 좋게 가정에서 배웠기에 그런가 보다 하고 넘어갔다.

그렇게 수업이 마무리되고 끝나는 수업 종이 울렸다. 그러자 내 친구 수요가 곁으로 다가와서 말을 걸었다.

"와, 안요안 진짜 대단하다. 어떻게 역사 선생님 앞에서 그런 말을 할 생각을 하지?"

나는 대꾸조차 귀찮아 엎드렸다. 아무리 생각해도 반성문을 써야 하는 이유를 모르겠다.

내가 아무 말도 하지 않고 가만히 엎드리자, 수요는 머쓱했는지 대화 주제를 틀었다. 아무래도 내 눈치를 본 모양이었다.

3교시가 끝나고 4교시 과학 수업이었다. 4교시 수업 종이 치고 글로리 선생님이 들어왔다.

"얘들아! 크롬북 펴렴"

'오늘도 시화인가?'

과학 시간이었지만 국어와 역사를 합친 듯한 시간이었다.

"자, 이번 과학 시간에는 안중근의 역사적 사실을 바탕으로 과학 개념을 접목하여 우리들만의 방식으로 영웅과 만남에 관한 시화를 만들어 보도록 할 예정이야."

또, 또 안중근이다. 역사 시간에도 안중근에 관한 이야기를 해서 그런지 정말로 안중근이 테러리스트로 밖에 보이지 않는다. 솔직히 안중근이 우리나라를 위해 이토 히로부미를 쏴 죽였지만, 이 때문에 우리 민족은 더욱 힘든 삶을 살아야만 했고 일본 입장에서 보면 고위 간부를 죽인 테러리스트에 불과하다. 난 어렸을 때부터 그렇게 배워왔고 집안에서도 이렇게 교육받았다. 이 때문에 많이 혼이 났고. 많이 맞고, 많이 쫓겨났다.
그렇게 힘들었던 과학 시간이 지나 점심시간이 되었다.

"그나저나 요안아, 오늘 급식 먹고 축구하러 가야지, 가자."

수요는 힘없이 나에게 말했다. 나는 그 말을 들은 직후 벌떡 일어나 축구공을 챙기려 사물함을 열었다. 축구공을 챙긴 뒤 수요와 함께 반을 나갔다.

# 제 2 화  예 상 치  못 한  사 고

노 윤 서 ,  정 채 원

짧게만 느껴진 점심시간은 끝이 나버렸고 그 후의 다른 수업들도 마찬가지였다. 종례 후 나는 학교에 남아서 반성문을 쓰기로 했다. 내가 남아서 반성문을 쓰기로 하자 수요가 나와 함께 남아주기로 했다. 남아있는 수요를 생각해서라도 나는 빠르게 잘못했습니다로 한 장을 채우고 밖으로 나왔다. 밖으로 나오자 수요의 동생 공급이가 기다리고 있었다.

"야, 수요. 빨리빨리 안 나와?"

"뭐? 야 조공급, 내가 누나라고 부르랬지!"

티격태격하는 수요와 공급이를 보니 선생님께 혼나 상했던 기분이 나름 괜찮아진 것 같았다. 나도 저런 동생 하나 있으면 좋을 텐데…

"근데 누나는 왜 남은 거야? 무슨 일 있어?"

공급이가 나를 바라보면서 질문했다,

"아… 그냥 요안이가 할 일이 있어서 같이 남아줬어. 친구끼리 의리가 있지."

그렇게 말하는 수요에 나는 마음이 찡해지는 것 같았다.

역시 눈치 하나는 좋은 녀석인 것 같다.

"우리는 먼저 집에 가야겠다. 잘 가, 요안아 내일 학교에서 보자."

수요는 휴대폰을 확인하더니 다급하게 말을 하며, 공급이를 데리고 가버렸다. 표정을 보니 피치 못 할 일이 생긴 듯했다. 나도 이제 슬슬 집에 가야 할 것 같았다. 학원에 가기엔 시간이 너무 늦었고 그렇다고 해서 학교에 계속 남아있을 수도 없었기에. 머리가 지끈거렸다. 이상한 꿈을 꾸고 너무 많은 일을 한 번에 겪었기 때문일까? 나는 학교에서 있었던 일들을 잊으려고 애쓰며 집으로 향했다. 그렇게 되면 머리가 조금 덜 아파질 것 같았기 때문이다.

한참을 걸었을까, 어깨에 무거운 느낌이 들더니 내 몸이 휘청거리며 넘어졌다.

"아, 죄송합니다."

아무래도 누군가와 부딪힌 모양이었다. 당황해 있는 나에게 후드를 쓴 그는 목걸이를 건네주었다. 주머니에 있던 목걸이가 떨어졌었나 보다. 목걸이를 받고 일어서려던 나는 옆에 떨어진 낡은 회중시계 하나를 발견했다.

"앗..! 저기요!.. 뭐야 어디 갔지?"

후드남의 시계를 돌려주려 고개를 들었지만, 그는 이미 연기처럼 사라진 후였다.

"뭐지…? 사람 되게 빠르시네…"

나는 후드남에 의문을 품었지만 이내 털어 내고 다시 갈 길을 갔다. 주머니에 넣어둔 회중시계를 곰곰이 생각하며 집에 다다르고 있었다. 그 순간 무언가 밝은 빛이 비쳐오더니 이내 거대한 무언가가 다가오는 소리가 들렸다. 이내 큰 그림자가 드리워졌다. 옆을 돌아 그것이 무엇인지 확인하는 순간…

'끼익?'

'쾅?!!'

순간 온 세상이 암전이라도 된 듯 캄캄해졌다. 그리고 나의 정신은 서서히 사라졌다.

# 2 말도 안 되지만
일단

# 제1화 그대 품을 향해

한희원, 윤수호

"아야… 머리야… 여기가 어디지? 머리가 깨질 것 같아.."
"난 분명 트럭에 치였는데? 그리고 여긴 대체 어디야!!"
믿기지 않는 광경에 아무 말도 없이 눈물이 흘렀다. 처음 보는 풍경과 내가 살던 세상이 아니라는 것을 알아채고 이곳이 어디인지 알기 위해 주변을 둘러보고 있었다.

**< 띠롱~~ 띵!띵!띵!띵!띵! 임무가 도착했습니다. >**

말도 안 되는 일들의 연속이었다. 눈앞에 이상한 두루마리가 아른거렸고 도대체 무슨 일이 일어나고 있는지 이해할 수 없었다. 그저 벙찐 벙어리가 될 수밖에 없었다. 어쩔 수 없이 앞에 있는 두루마리를 만져보았다. 하지만 이 두루마리는 잡히지 않았다.

"이게 대체 뭐지? 아니 내가 헛것을 보고 있나?"

나는 눈앞에 또 다른 것을 보게 되었다. '임무를 수락하시겠습니까?' 이 문구를 보고 난 홀린 듯이 '네' 버튼을 누를 수밖에 없었다.

< 임무가 수락되었습니다. 임무를 완수하세요. 첫 번째 임무 안중근을 찾아 회중시계를 건네시오. >

안중근… 안중근이라는 말을 듣자마자 토가 나올 것 같았다. 집에서의 트라우마가 머리에 도지는 듯하는 기분이었다. 고조할아버지가 안중근과 동양평화론을 좋아하지 않았다는 이유.. 솔직히 난 잘 모르겠지만, 어른들이 그렇게 가르쳤기에 난 그게 바르다고 생각하고 있었으며, 속이 울렁거리고 머릿속에는 부모님의 강한 어조들이 돌아다녔다.

"어이 퀘스트 씨? 이 퀘스트 취소하겠어! 퀘스트 내용도 안 알려주고… 이게 옳다고 생각해? 난 이거 절대 못해!!! 아니 그리고 애초에 회중시계가 어디 있는데?"
회중시계에 대해서 생각하자 아까 사고를 당하기 전에 어떤 사람이 떨어트렸던 회중시계가 생각이 났다.
"회중시계를 말하는 거면 이거 말하는 건가? 아니 도대체 이게 뭔데? 이런 거 하기 싫다고!"
그러자 내 앞에 다시 한 번 퀘스트 창이 나타났다.
<이 임무를 취소하시겠습니까? 단, 퀘스트 취소 시 즉시 이곳에서 소멸하게 됩니다. 취소하시겠습니까?>
황당함의 연속이다. 근데 왠지 진짜 죽을 것 같다는 느낌이었다.
"아니, 아니, 할게! 임무가 뭐라고?"

**<첫 번째 퀘스트, 안중근을 찾아 회중시계를 건네시오.>**

어쩔 수 없이 나는 아무런 지식도 상황도 이해하지 못한 채 안중근을 찾으러 나섰다. 그래도 역사 시간에 배운 기초지식은 어느 정도 있으니 조금 기억이 날 것 같았다. 주변을 조금 돌아보니 지도가 하나 있었다. 지도를 집어 들자 익숙한 지명이 보였다.

때마침 옆에 지도가 있었고, 나는 지도를 보고 말했다.

"맞아! 여기가 경성이야 경성!, 근데 안중근을 도대체 무슨 수로 찾으라는 거지?"

"어이 거기 임무! 너 너무 대책 없는 거 아니냐? 아무리 그래도 그렇지… 좀 알려주고 하면 안 될까?"

**<경성정육점의 장덕배씨께 가보십시오. 안중근의 마지막 위치를 아시는 분이십니다.>**

경성정육점... 터벅터벅 땅만 보고 걷다 보니 어느새 경성정육점에 도착했다. 그때 누군가와 부딪혔는데 그의 얼굴에는 온통 피가 묻어있었고 한 손에는 아주 커다란 칼이, 온몸에는 고기 냄새가 배어있었다. 겁에 질리지 않을 수가 없는 얼굴이었다.

"혹시 장덕배씨?, 맞으세요?"

"맞는데 왜? 뭐 고기라도 살 거야? 그럼 뒤에 줄을 서시오"

두려움이 온몸을 감싸고 얼떨결에 "네…"라고 말했다. 그런데 역시는 역시, 줄은 매우 길었고 전철역까지 닿을 정도로 매우 길었다. 나는 그 앞에 계신 아주머니께 물었다.

"이 사장님께 이렇게 오래 기다리면서까지 고기를 구매하시나요?

"우리 덕배씨는 세상 사람이 좋아! 얼마나 인심도 후하고 좋은데 고기 품질까지 좋아서 몇 시간 동안 기다리는 보람이 있다니까!"

덕배씨는 얼마나 좋은 사람일까? 생각을 하며, 한참을 기다렸다. 얼마나 오래 기다렸을까 마침내 차례가 다가왔다.

"어떤 고기를 찾으시오?"

덕배씨의 말에 나는 마음속으로 생각했다가 다짜고짜 안중근의 위치를 물어보면 수상하게 보이지 않을까?, 안 알려주면 어떡하지? 그럼 진짜 나는 죽는 건가..?

여러 가지 복잡한 마음으로 나는 쉽사리 말을 꺼낼 수 없었고 얼마의 정적이 지났을까, 덕배씨는 언짢았는지 나에게 말했다.

"살 거야, 안 살 거야? 안 살 거면 빨리 나와 뒤에 줄 안 보여?"

나를 지켜보는 사람들의 시선과 이 막막한 공기 속에서 나는 할 수 있는 게 없었고 그저 내 눈에는 눈물만이 고일 뿐이었다.

나의 눈물을 보더니 덕배씨는 굉장히 당황한 것처럼 보였다.

"뭐야, 고기 살 돈이 없어서 그래? 나 참… 얼마나 모자란
데?"

덕배씨의 말을 들은 나는 그저 좌우로 고개를 저었다.

"아니에요, 죄송합니다."

등을 돌려 떠나려던 때였다. 누군가 나를 불러세웠다. 그
는 바로 덕배씨였다. 덕배씨는 나의 손에 고기를 한 덩이
쥐여주시더니 고기 떨어지면 또 오라는 말을 했다. 그런
덕배씨의 얼굴은 미소를 띠고 있었고 나는 큰 결심을 하고
말하였다.

" 사실 고기가 필요한 게 아니라요…"

덕배씨가 의아한 표정을 짓고 말하였다.

"그럼 지금까지 줄은 왜 섰던 거야?"

"혹시 안중근이라는 사람 아세요?"

하면 안 되는 말을 한 걸까? 덕배씨의 표정은 급격히 굳
었다.

"그런 사람 모르는데. 사람 잘못 찾은 것 같아."

순간 오만가지 생각이 내 머리를 스쳐 지나갔다 덕배씨가
모를 리가 없다. 분명히 덕배씨를 찾아가라고 했디. 네가
살려면 안중근의 위치를 알아야만 한다. 정말 살고 싶었
다. 애초에 퀘스트라는 게 잘못된 거 아닐까? 그렇게 나는
점점 공황에 빠져갔다.

"학생? 학생!!"

덕배씨가 나를 부르는 목소리에 깨어나게 되었다.

"학생 괜찮아? 벌써 3번이나 불렀어"

"아 괜찮아요.. 제가 뭔가 오해를 했었나 봐요"

"그래? 다행이네 이 고기 받고 네가 있어야 할 곳으로 돌아가"

말하는 덕배씨의 표정에는 여러 가지 감정이 담겨있었다. 하지만 나는 여기서 포기할 수 없었다. 퀘스트가 잘못된 게 아니라면 분명 덕배씨는 알고 있을 것이다. 지푸라기라도 잡는 시점으로 정말 마지막으로 다시 물어봤다.

"감사합니다. 근데 사장님 진짜 안중근 모르세요? 사장님은 알고 계실 것 같아서요. 알고 계신다면 제발 알려주세요. 부탁드립니다."

덕배씨는 당황한 표정을 짓고 몇 초간의 정적이 흐른 뒤, 덕배씨가 입을 열었다.

"지금 할 수 있는 얘기는 아닌 것 같구만.. 이따 영업 끝나면 다시 찾아오겠나?"

"네.. 알겠습니다.."

그때 어딘가에서 누군가가 크게 소리쳤다.

"야, 빨리 나와… 혼자서 몇 분을 얘기해? 덕배씨도 너무 하셔, 우리는 손님도 아니야? 빨리빨리 손님을 받아줘야지 참 몇 시간을 기다리게 하는 거야?"

그때 너무 시간을 오래 끌었다는 생각이 들었다. 나는 어쩔 수 없이 영업이 끝날 때까지 고깃집 근처에서 시간을 보내게 되었다. 거리의 풍경이 내가 살던 시대와는 너무 달랐다. 혼자 거리를 걸으며 생각을 했다. 여기가 진짜 과거라면 나는 현대로 돌아갈 수 있을까? 만약 돌아간다면 나는 살아있을까? 분명 현시대의 나는 교통사고로…생각하기 싫은 끔찍한 기억이었다. 핸드폰도 게임기도 아무것도 없는 세상에서 나는 평소보다 더 많은 생각을 할 수 있게 되었다 덕배씨에게 어떤 얘기를 해야 믿어줄까? 나는 사실 이 시대 사람이 아닌데 교통사고를 당하고 눈을 떠봤더니 이 시대로 와있었고 안중근을 만나라는 임무가 있었다가 그리고 당신이 그 힌트를 알고 있을 것 같아서 여기까지 왔다.

 이런 말도 안 되는 소리를 믿어줄까? 내가 생각해도 어이가 없었다. 돌아가고 싶다, 살고 싶다. 하지만 어떻게 보면 이 상황이 다행일지도 모르겠다는 생각이 들었다. 우리 가문의 원수를 직접 만날 수 있는 일생일대의 기회이다. 그런데 만약 안중근을 만난다고 해도 내가 할 수 있는 게 있을까?

생각할수록 무기력함은 나를 뒤덮였고 그 자리에는 초라해져 버린 나만 남을 뿐이었다. 시간이 흘러 밤이 되었다. 덕배씨가 말을 걸었다.

"참 짧은 하루였지? 눈 깜짝할 사이에 지나갔으니 말이여 허허"

짧은 하루든, 긴 하루든 내 상관이 아니었다. 내 머릿속에는 오로지 안중근뿐이었다.

"묻고 싶은 게 있는데요. 사장님은 안중근과 어떤 관계이신 거예요?"

덕배씨는 한참 고민을 하더니 입을 열었다.

"그전에 내가 먼저 묻고 싶은 게 있는데… 너는 왜 안중근을 찾아다니는 거냐?"

그 말을 들은 나는 그대로 굳어버렸다. 사실대로 말하면 믿어줄까? 아니야 믿어줄 리가 없었다.

어떻게든 변명을 하였다.

"아 제가 안중근의 사촌인데 전해드릴 말씀이 있어서…"

내가 생각해도 말도 안 되는 변명이었다. 말을 하는 내 눈동자는 중심을 잃어서 고개는 땅을 바라보고 있었다. 덕배씨의 표정도 실망스럽다는 표정이었고 나는 결심을 하였다.

"아 그냥 솔직히 말씀드릴게요. 정말 안 믿기시겠지만 저는 진짜 어떻게 안중근을 만나야 해요. 제발 알려주세요. 실망하게 해 드리지 않을게요. 제발 부탁할게요. 안중근을 만나야 해요 제발…"

덕배씨는 한참을 고민하였다. 우리 사이에는 정적이 흘렀고 이 정적이 우리를 삼켜버리기 직전 덕배씨는 입을 열었다.

"안중근은 내 생명의 은인이여. 솔직히 너를 완전히 믿는건 아니야. 하지만 네가 거짓말을 하는 것 같지는 않는 구먼."

덕배씨는 나에게 안중근의 집 주소를 알려주었고 나에게 하루 잠자리를 내어주었다. 덕배씨의 집에서 잠이 들며 생각을 하였다. 만약 이게 퀘스트 클리어 게임이라면 이 퀘스트의 끝은 무엇일까? 짙은 어둠이 모두를 집어삼킨 밤 더 이상 어떤 생각도 하기 싫었고 그대로 잠에 빠져들었다. 다음 날 아침 해가 뜨자마자 떠날 준비를 하였다.

덕배씨와 인사를 하고 덕배씨가 알려준 주소로 향하였다. 다행히 그렇게 멀리 있는 장소는 아니었고 충분히 오늘 안에 도착할 수 있겠다는 확신이 들었다. 얼마나 걸었을까, 현실 세계가 걱정되었다. 학교는 어떻게 하지? 아닌가? 현실 세계의 나는 죽었으니까 장례식 중이려나, 우리 가족은 어떡하지…

주소가 가까워질수록 알 수 없는 감정이 나를 둘러싼다. 그동안 항상 안중근은 테러리스트라고 생가했다. 그레시 안중근을 만나면 어떻게든 복수를 하려 했다. 근데 지금의 기대감이 복수를 위한 기대감은 아닌 것 같아서 너무 두려웠다. 얼마나 걸었을까. 알려준 주소에 도착했다. 집 앞에 도착해서 한참을 심호흡하고 하늘을 바라보고 행동했다.

'똑똑'

"안중근 씨 계세요?"

안중근을 부르고 기다리는 10초가 10년 같았다. 등 뒤에서 남자의 목소리가 들렸다.

"누구세요?"

잔뜩 긴장한 표정으로 뒤를 돌아보며 물어보았다.

"혹시 안중근…?"

남자가 대답하였다.

"아니요. 안중근은 아닌데 어떤 일로 안중근을 찾으시는데요?"

남자의 눈에는 의심의 눈초리가 가득해 보였다.

"아… 안중근을 만나야 할 일이 있어서요."

"그러니까 왜요? 여기까지는 어떻게 왔어요?"

남자의 목소리에는 짜증이 섞여 있었다. 나는 그냥 사실대로 말하였다

"아 정육점 하시는 덕배씨에게 여기에 있다는 소식을 듣고 왔는데… 여기에 안 사시나요?"

그러자 남자의 얼굴에는 웃음꽃이 피었다.

"아, 덕배씨 지인이야? 와 반갑다. 덕배씨 몸은 괜찮으시고? 어서 따라와 안중근이 있는 곳으로 데려다 줄게"

어떻게 된 일인지는 모르겠지만, 이것만큼은 확실했다. 덕

배씨는 좋은 사람이고 나는 지금 안중근을 만날 수 있다는 거다.

얼마나 걸었을까. 마을회관이 보이자 남자가 말하였다.

"다 왔다. 보이지 저기에 안중근이 있어 원래는 마을회관 인데 지금은 독립운동가들 임시 기지로 쓰고 있어. 마침 저기 나오시네"

남자가 마을회관 앞에 있는 안중근을 보고 말하였다.

"중근아, 나 왔어."

안중근이 우리를 보더니 말하였다.

"생각보다 조금 늦으셨네요. 밖에 상황은 어때요?"

"아직 까지는 큰 이상은 없는 것 같아"

"다행이네요 그런데 옆에는 누구예요?"

남자가 말하였다

"아 너를 만나러 왔데 , 덕배씨 지인인 것 같아"

"저를 만나러 왔다고요? 혹시 이름이?"

안중근을 정말 실제로 만났다는 압박감이 나를 떨리게 하 였고 너무 당황한 나머지 나는 제대로 된 말을 할 수 없었 다. 한참을 말을 얼버무린 후 겨우 말하였다.

"요… 요… 요 안이요"

안중근은 의미심장한 표정을 짓더니 말하였다.

"요안? 처음 듣는 이름인데.. 어쨌든 만나서 반가워 덕배 씨 지인이면 우리와 ' 같은 뜻'을 지니고 있는 거겠지?,

긴말 안 해도 내가 누군지 알겠지?"

같은 뜻이라니 도무지 무슨 말인지 이해가 가지 않았다. 그보다 도대체 덕배씨는 어떤 사람이길래 덕밖에 지인이라는 이유 하나만으로도 이렇게 모든 관계가 프리패스 되는 거지? 그때 퀘스트 내용이 떠올랐다.

'아 안중근을 만나서 회중시계를 건네주어야 하는데..'

나는 퀘스트 내용을 떠올리며 허둥지둥 안중근에게 회중시계를 보여주었다.

"그 제가 이걸 주웠는데 혹시 안중근 선생님 것일까요?"

회중시계를 보여주자. 안중근은 황당해 보이는 얼굴로 말을 꺼냈다.

"어? 그 회중시계는 내 회중시계잖아? 고맙구나. 이걸 전해주려고 나를 찾은 거니?"

"아.. 그게 아니라.. 아니 사실은 맞는데.. 그게.."

내가 말을 더듬자. 안중근은 당황해하였다. 그때 내 앞에 퀘스트 창이 나타났다.

**< 첫 번째 퀘스트 안중근을 찾아 회중시계를 건네시오, 성공 >**

갑자기 이상한 반응을 하는 나를 보더니 안중근이 말하였다.

"요안아, 왜 그래?"

"네? 아 이 앞에 퀘스트 창이 방금 반짝이더니.."

"퀘스트 창이라니 무슨 소리야?"

역시였다. 당연히 예상은 했지만, 이 퀘스트 창은 나에게만 보이는 것이다.

"아 아니에요. 잠깐 다른 생각 좀 했어요."

**< 첫 번째 임무에 대한 보상이 도착했습니다. >**

첫 번째 퀘스트 보상은 '일본어 통역'이었다. 이 상황이 도무지 믿기지가 않았다. '정말 내가 일본어를 배운 건가? 에이 말도 안 돼. 나는 일본어로 안녕하세요도 모르는데.. 설마..'

퀘스트에 대한 보상으로 심각한 나에게 또 다른 소식이 들려왔다.

# 제 2 화  반전의  나무

윤 수 호 ,  한 희 원

**<두 번째 퀘스트가 도착했습니다.>**

두 번째 퀘스트를 보는 나는 의아해하지 않을 수 없었다.

**<이토 나눈을 만나시오.>**

이토 나눈이라... 뭔가 어디선가 비슷한 이름을 들어본 것 같아서 알 수 없는 친근감이 느껴졌다. 이번 퀘스트는 힌트가 없어서 어떻게 해야 할지 감도 안 잡혔지만 두 번째 퀘스트 보다 첫 번째 퀘스트에 대한 보상인 일본어 통역 능력이 너무 궁금하였기 때문에 어떻게든 확인해 보고 싶었다.

때마침 안중근이 남자에게 말하였다.

"아 맞다 일본어 통역사는 구해졌어요?"

"아니 아무래도 쉽게 구해지지는 않는 것 같아"

그때 첫 번째 퀘스트의 보상이 내 머릿속을 스쳐 지나갔고 나에게 일생일대의 기회가 왔다고 생각됐다.

"제가 일본어를 할 줄 알기는 하는데 혹시 통역사 구하시나요?"

안중근과 남자는 기다렸다는 듯이 밝은 미소를 보이며 말하였다.

"어 정말이야? 일본어를 할 줄 알아?"

나는 확실하지는 않지만, 이 퀘스트를 믿어보기로 다짐했다. 정황상으로 봤을 때 퀘스트의 보상이 거짓말처럼 보이지는 않았다.

"네 어렸을 때부터 일본어를 배워서 현지 사람과 대화를 할 정도로 잘해요!"

내가 말실수를 한 걸까? 두 사람의 표정은 급격히 어두워졌다. 그 둘은 내 앞에서 속삭이기 시작했다. 잘은 안 들렸지만, 어느 정도 들린 걸로 내용을 추측해 보자면 내가 어렸을 때부터 일본어를 배워왔다는 것에 의심을 하는 것 같았다.

그때 주마등처럼 무언가가 내 머릿속을 스쳐 지나갔다. 지금 이 시대는 일본이 침략하는 시대이므로 어렸을 때부터 일본어를 배워왔다는 것은 의심을 사기에 충분하였다.

일이 잘못됐다는 걸 깨달은 나는 어떻게든 안중근의 통역사가 되기 위해 생떼를 부리기 시작했다.

"아, 근데 저 진짜 통역 잘하는데 통역사 시켜주시면 안 되나요?"

두 남자는 고민을 하더니 나에게 말을 하였다.

"우리는 아직 너를 믿을 수가 없다. 우리 편이 맞는지 간단하게 시험을 진행하려고 하는데 어때?"

어떻게든 안중근의 통역사가 되어 최대한 많은 힌트를 얻어서 이 시대를 벗어나고 싶었기 때문에 나에게는 거절할 필요가 없는 제안이었고 나는 1초의 고민도 고개를 끄덕였다.

나를 보고 안중근이 말하였다.

"그럼 이토 히로부미 알지? 지금 이토 히로부미가 조선에 들어와 있거든? 이토 히로부미의 임시거처에 있는 태극기 판을 가지고 와서 태극기를 제작해볼래?"

그 말을 들은 나는 의아해하지 않을 수 없었다. 여기는 분명 한국이다. 그렇다면 널린 게 태극기일 텐데 왜 굳이 남의 집 태극기판을 훔쳐서 태극기를 만들라는 건지…

많은 의문점이 드는 제안이었지만 그런 걸 따질 때가 아니었고 나는 당장 이토 히로부미를 만나러 떠날 준비를 하였다.

하지만 얼마 지나지 않아 나는 커다란 문제 몇 가지를 깨닫게 된다.

첫 번째 문제는 이토 히로부미가 정확히 어디에 있는지 모른다.

두 번째 문제는 지금은 일본이 지배하는 시기라 태극기가 굉장히 희귀하다.

세 번째 문제는 이토 히로부미가 내가 아는 그 이토 히로부미라면 쉽게 만날 수 있을 리가 없다.

네 번째 문제는 두 번째 퀘스트 이토 나쁜을 만나야 해서 이토 히로부미를 찾으러 다닐 시간이 없다.

많은 문제점 때문에 멘탈이 나가서 초점을 잃고 걸어가는 나의 눈에 멀리서 내 또래로 보이는 여자아이가 한 명 보였다. 여자아이는 마치 맞기라도 한 듯 얼굴에는 멍이 있었고, 다리는 절뚝거렸다. 나도 모르게 홀린 듯 그에게 다가가게 되었다. 동정심이었을까? 아니면 연민을 느꼈던 것일까? 울고 있는 아이를 그냥 두고 싶지는 않았다. 하지만 문제가 하나 있었는데 나는 일본어를 할 줄 모른다.

그냥 못 본척하고 지나가려던 참에 갑자기 한가지 생각이 내 머릿속을 지나쳤다. 첫 번째 퀘스트 보상인 일본어 통역 능력이 있으면 어떻게든 되지 않을까? 어떤 자신감인지는 몰라도 퀘스트 게임을 믿고 용기를 내어 말을 걸었다.

"저기, 혹시 무슨 일 있어?"

아이는 훌쩍이며 나를 애처롭게 쳐다보았다.

"아니야... 그냥 넘어졌어."

믿기 힘든 일이 벌어졌다. 아이가 하는 말이 한국어로 들렸고, 내가 하는 한국말을 일본인 여자아이가 이해하고 있었다.

"그, 진짜 미안한데 궁금한 게 있어서 혹시 너 한국말 할 줄 알아??"

"아니? 아예 할 줄 모르는데?"

확신이 들었다. 일본어 통역 능력은 내가 하는 한국말은 일본인들에게 일본어로 들리고 일본인들이 하는 일본어는 나에게 한국어로 들린다. 나에게 엄청난 능력이 생겼다는 게 신기했고 계속 대화를 이어갔다.

"근데 너 넘어진 걸로 몸이 이렇게 됐다고? 거짓말 하지마."

평소의 나답지 않게 남의 일에 신경을 썼다. 처음 보는 그 여자아이에게 어렸을 때의 내가 보였다. 힘들어도 괜찮다고 참고 이겨내려는 그 아이의 모습을 보니 남은 건 결국 곪아서 상처가 돼버린 마음밖에 없는 내가 비추어 보였다. 알 수 없는 정적이 이어졌고 나는 계속 말하였다.

"힘들 땐 그냥 털어버려"

여자아이는 일그러진 표정으로 흐느끼며 말하였다.

"아빠가 너무 무서워"

"구체적으로 무슨 뜻이야? 아빠가 때리는 게 무섭다고?"

"아니… 그게 아니라 아빠가 하는 일이 너무 무서워"

"아빠가 무슨 일 하시는데?"

"이건 비밀인데… 아빠가 조선을 지배하려고 하는 것 같아…"

"그게 무슨 소리야…?"

"말 그대로야…"

"근데 네 말대로 정말 너희 아버지가 조선을 지배한다면 그걸 조선인인 나에게 왜 말해주는 거야? 너희한테 전혀 좋은 일이 아닐 텐데?"

"사실 그것 때문에 아빠랑 싸웠어. 나는 우리가 조선 지배를 안 했으면 좋겠어…"

"왜? 조선 지배하면 너희도 좋은 것 아니야?"

"아니 난 그렇게 생각 안해. 우리 때문에 조선인들이 피해 당하는 건 싫어. 우리의 이익을 위해서 조선인들을 힘들게 할 권리는 없잖아."

"그럼 아빠한테 말씀드려봐."

"당연히 말씀드려봤지… 근데 아빠의 의견이 너무 확고하셔. 아무리 설득을 하려고 해도 고집이 너무 강하셔서… 지금 이 상처도 아빠 설득하다가 생긴 거야."

"근데 아버지가 조선 지배를 할 수 있는 권력이 있을 정도로 높으신 분이신 거야?"

"아 넌 조선인이라 모를 수도 있겠다. 우리 아빠가 이토 히로부미셔, 누군지 알아?"

"어, 뭐라고? 진짜?? 야, 너 혹시 이름이 뭐야?"

"나? 이토 나쁜인데… 너는 이름이 뭐야?"

"이토 나쁜이라고?? 잠깐만 "

그때였다.

< 두 번째 퀘스트 ' 이토 나쁜을 만나라 '가 클리어됐습니다. 보상으로 경량 갑옷이 주어집니다!! >

# 제 3 화  마지막을  향하는  길

한 희 원 ,  윤 수 호

**<세 번째 퀘스트, 안중근과 함께 이토 히로부미 암살계획을 세우시오.>**

세 번째 퀘스트 본 순간 머릿속이 하얘졌다. 물론 이토 나쁜이 어떤 사람인지 아주 잘 알지는 못하지만, 대화를 해본 결과 나쁜 애는 아닌 것 같다는 결론을 내릴 수 있었다. 근데 지금 나보고 이토 나쁜의 아빠를 죽일 계획을 세우라고?

너무 고민이 됐다. 이토 나쁜처럼 착한 사람의 아빠를 죽일 계획을 세우고 싶지 않았다. 이토 히로부미가 어떤 사람인지는 물론 잘 안다. 그래도 조선이 지배되는 걸 막으려면 차라리 이토 나쁜을 도와서 이토 히로부미를 설득시키는 게 좋지 않을까?

하지만 지금까지 퀘스트를 클리어하면서 느낀 점이 있다. 퀘스트는 절대 아무 이유 없는 일을 시키지 않는다. 그리고 이 퀘스트 게임을 끝내려면 퀘스트가 시키는 대로 하는 게 맞다라는 생각이 들었다.

"야, 너 괜찮아?"

"어? 뭐가?"

"아니 몇 번을 불렀는데 답이 없길래 근데 내가 이토 나쁜 인 게 왜? 나한테 할 말 있어?"

퀘스트를 클리어하기 위해 세 번째 퀘스트 대한 사실은 비밀로 한 채 말을 꺼냈다. 이기적으로 들릴 수 있겠지만, 오늘 처음 본 아이의 가정보다는 앞으로 내가 살아갈 인생이 더욱 중요했다.

"혹시 너 나를 도와줄 수 있어? 난 안중근을 도와서 우리나라의 독립을 돕고 있거든..."

"어... 자세히 생각해 본 적은 없는데, 혹시 어떻게 할 거야?"

"일단 태극 판을 찾아서 태극기를 만들고 독립선언문도 만들고... 그다음… 음…. 어쨌든 나를 도와주면 조선 사람들이 손해 입을 일도 없고 너와 아빠의 갈등도 끝낼 수 있어 나 좀 도와줄래? "

"태극 판? 태극 판은 우리 집 창고에서! 내가 알기엔 조선의 모든 태극 판을 불태웠거나 폐기했는데, 아마 우리 아빠가 딱 하나 남은 태극 판을 부관했을 거야! 우리 이삐가 유물 같은 거 많이 보관해 두거든."

난 사막의 오아시스를 발견한 기분이 들었다. 불가능처럼 느껴지던 이 모든 실마리들이 하나하나 풀어지는 것 같았다. 이토 나쁜을 따라서 이토 히로부미의 창고로 향했다.

"안녕하십니까?, 창고에 무슨 볼 일이라도 있으십니까?"

"비켜라, 이 몸이 오늘은 아주 바쁘니… 아, 그리고 옆에 있는 이자는 나의 은인이니 해치려는 생각은 꿈에도 하지 마라! 알겠느냐?"

"예! 알겠습니다. 잠시만 기다려 주십시오."

눈앞에 있는 수많은 경비가 이토 나쁜의 말 한마디에 자리를 비키고 철문을 여는 장면이 그저 신기할 따름이었다.

"잠시만, 조금만 기다려봐."

경비들로 둘러싸인 철문, 자물쇠를 푸는 모습이 마치 모든 비밀의 판도라 상자를 여는 듯하였다.

"자! 들어와 봐, 창고가 꽤 크니까 찾는데, 시간이 걸릴 수 있어. 나랑 같이 찾을래?"

창고가 한눈에 들어오지 않을 정도로 매우 컸다. 엄청난 크기의 책장, 그 안에 있는 아주 오래되어 보이는 고서, 한눈에 봐도 귀해 보이는 도자기, 막대한 양의 금.. 눈이 부셨다. 이것들 일부는 조선의 문화재를 수탈한 것일까?

"찾았다! 여기 있어! 태극 판 이거 딱 하나 있네!"

드디어 모든 것이 끝나가고 있었다.

"자, 꼭 좋은 데에 써줘. 아빠께 들키면 진짜 죽을 수도 있으니까 빨리 도망가!"

고맙다는 인사도 못한 채 부리나케 창고를 빠져나와 알 수 없는 골목길로 들어서게 됐다. 태극 판만 가지고 오면 속이 후련해질 줄 알았는데 마음이 점점 더 답답해지는 느낌이 들었다. 하지만 내가 할 수 있는 건 이것밖에 없다는 사실을 알기에 서둘러 안중근에게로 돌아갔다.

"그 소년은 잘 갔을까? 난 어쩌지…"

그때 진흙 히로부미가 창고에 왔고 이토 나뇬을 보게 됐다. 이토 히로부미는 이토 나뇬을 보자마자 불같이 화를 내며 자신의 창고에 없어진 게 없는지 확인하기 시작했다.

"나뇬! 내가 허락 없이 창고 열지 말라 했지! 이런 말도 안 듣는 걸 자식이라고… 너 여기에 서 있어!"

이토 히로부미는 창고 문지기를 혼낸 다음 창고를 뒤지기 시작했다. 그러다 이토 히로부미가 창고를 뒤지는 중 결국 태극 판이 없어졌다는 걸 알아차려 버렸다.

"나뇬 너! 대체 태극 판을 어디에다 팔아넘긴 거야?"

이토 히로부미는 이토 나뇬의 뺨을 세게 쳤다. 이토 나뇬의 뺨이 붉게 변했고 그녀의 눈에는 닭똥 같은 눈물이 무수히 쏟아져 내렸다. 감정이 격해진 이토 히로부미는 창고에 있던 총을 이토 나뇬에게 겨눴다.

"아빠, 아빠가 원하던 결말이 겨우 이거뿐이었어?"

"네가 드디어 미친 게야?"

이토 히로부미의 말이 끝나기도 전에 이토 나뇬은 아빠로부터 도망치기 시작했다.

"저런 게 내 아빠라니... 너무 수치스러워."

얼마나 도망쳤을까. 이토 나쁜은 우연히 다시 요안을 보게 되었다. 그 장면을 본 그녀는 너무나도 당황해 멈춰 설 수밖에 없었다. 그 장면은 끔찍했다. 이름을 알 수 없는 여순사가 요안의 머리에 총구를 겨누고 있었기 때문이다.

"조선인, 대체 몸에 숨기고 있는데 뭐야? 정말 죽여야만 확인할 수 있는 거야?"

"거기 순사! 너 이름이 뭐냐! 내가 누군지 알아?"

"내가 널 알아야 하는 이유는? 그리고 내 이름은 왜?"

"난 이토 히로부미의 딸 이토 나쁜이다!"

여순사는 비웃으며 말했다.

"너가 이토 히로부미의 딸이라고? 하 참… 기가 차서… 거짓말로 그럴듯하게 해야지, 더 방해하면 공범으로 너까지 체포하겠다."

여순사의 총구가 이토 나쁜을 향하였고 요안은 본능적으로 이토 나쁜을 도와주고 싶다는 생각이 들었다. 저 총만 어떻게 처리하면 될 것 같은데 그때 두 번째 퀘스트 보상인 갑옷이 생각났다.

일본어 통역 능력이 진짜였으니까 갑옷도 분명히 진짜일 거라는 확신이 들었다. 그런데 문제는 갑옷을 어떻게 사용하는지 모른다는 것이다. 혹시 일본어 통역 능력처럼 그냥 자동으로 입어지는 건가? 근데 그렇다기에는 도저히 갑옷을 입은 것처럼 몸이 무겁지는 않았다.

이토 나뇬의 더 선명해진 멍 자국과 눈물 자국을 보니 내가 떠나간 뒤로 어떤 일이 있었는지 대충 짐작이 가게 되었고 그래서 그런지 이토 나뇬을 더욱 도와주고 싶었다. 총구가 이토 나뇬을 향하자, 이토 나뇬은 다리에 힘이 풀렸는지 주저앉게 되었다.

눈물을 흘리고 있는 이토 나뇬을 보니 몸이 저절로 움직이게 되었다. 나의 모든 힘을 다해서 뒤쪽에서 여순사를 강하게 들이받았다.

 상당한 충격이 전해졌는지 여순사는 총을 놓치고 고통스러워하였다. 그 틈을 타 빠르게 이토 나뇬을 데리고 최대한 빠르게 도망쳤다. 하지만 왜 생각하지 못했을까. 여순사에게 총이 있었고 그 말은 즉 도망치는 건 의미가 없다는 말이었다. 저 멀리서 여순사의 총구가 우리를 향하는게 보였다.

마음속으로 계속해서 생각했다. 갑옷 입고 싶어요, 갑옷입고 싶어요. 제발 그때였다. 내 앞에 퀘스트 창이 나타났다.

**<일회용 갑옷 아이템 사용하시겠습니까?>**

고민할 겨를도 없이 '예'를 눌렀고 그러자 나의 몸이 반짝거리더니 갑옷이 입혀졌다. 그때 저 멀리서 대포 같은 소리가 들려 나는 눈을 질끈 감고 이토 나뇬을 데리고 골목으로 몸을 던졌다.

눈을 감았다가 뜨니 몸이 한결 가벼워져 있었다. 몸에 있던 갑옷이 사라져 있었고, 다행인 점은 나와 이토 나쁜 모두 아무 다친 곳도 없이 멀쩡하였다. 태극판도 다행히 잃어버리지 않았고 안중근에게 돌아갈 일만 남았다. 근데 이토 나쁜이 울먹이는 말투로 나에게 물었다.

"야, 너 괜찮은 거야? 너 분명히 총에…"

"어? 무슨 소리야 내가 총에 맞았다고? 내가 총에 맞았다면 죽었겠지. 봐봐, 지금 멀쩡하잖아."

"그럴 리가 없는데 분명히…"

"운이 좋게 총알이 빗겨간 것 같아 진짜 다행하다 흐흐 그나저나 너 얼굴이랑 몸에 멍 자국 뭐야 왜 아까보다 더 늘어났어?"

"아 그게 너한테 태국판 넘겨준 거 아빠한테 걸렸어…"

"아… 미안해 괜히 나 때문에…"

"아니야, 네 탓을 하려는 게 아니야. 애초에 나도 아빠의 계획을 막고 싶어 부탁할게. 아빠를 막아줘."

"그래, 나만 믿어. 내가 꼭 너희 아버지를 막아서 모두가 상처받지 않게 할게."

"응, 고마워."

"너는 앞으로도 계속 한국에 있을 거야?"

"아니, 아빠랑 나는 내일 다시 일본으로 돌아갈 거야."

"그럼 당분간은 계속 일본에 있는 거야?"

"이날 중국 하얼빈역에 간다고 들었어. 나도 같이 갈 거야."

그 말을 들은 나는 경악할 수밖에 없었다. 똑똑히 기억났다. 중국 하얼빈역, 안중근이 이토 히로부미를 암살한 장소이다. 이토 나뇬에게 말해줘야 하나? 한참을 고민했다. 뭐라고 말해야 하지? 나는 미래에서 왔는데 그날 너희 아빠 죽으니까 그 기차 타지마 내가 생각해도 이상한 소리였다. 그리고 이어서 내 머릿속을 지나간 불길한 생각, 역사적 사실에 의하면 안중근은 이토 히로부미의 얼굴을 몰라 주변 사람들까지 총으로 쐈는데 혹시 그 총에 맞는 게 이토 나뇬이 아닐까? 라는 불안감에 휩싸였다.

물론 이토 나뇬은 여자라서 이토 히로부미로 착각하고 쏠 일은 없겠지만, 아비규환인 상환 속에서 실수로 총에 맞으면 어떡하지? 라는 불안감에 휩싸였다.

나는 퀘스트 때문에 한국을 도와야 한다. 그런데 정말 이런 생각이 들면 안 되겠지만 일본 최고 지휘관 이토 히로부미의 딸인 이토 나뇬이 손해를 입지 않았으면 좋겠다. 나도 이제는 나의 마음을 모르는 상환이 찾이의 비렸다.

이토 나뇬이 슬퍼하지 않았으면 좋겠는데 이토 나뇬의 아빠를 죽이는 걸 도와주는 게 맞는 행동일까?

복잡한 나의 마음에 대한 답을 내리지 못한 채 안중근에게 돌아가는 길에 지금까지 일어난 이 말도 안 되는 상황을 정리해 본 결과 나는 대충 이 퀘스트 게임을 파악할 수 있었다.

첫 번째는 퀘스트를 클리어해도 내가 클리어 사실을 알지 못하면 클리어로 치지 않는다.

두 번째는 퀘스트 이토 나쁜을 만나라에서 나는 이토 나쁜을 만났지만, 그 여자가 이토 나쁜이라는 걸 알기 전까지 퀘스트가 클리어되지 않았다. 이 상황으로 보았을 때 퀘스트 클리어의 조건은 내가 깨달아야 한다는 것이다.

세 번째는 나는 어쨌든 안중근을 도와야 한다. 예를 들어 지금까지 퀘스트를 보았을 때 안중근을 돕는 쪽의 퀘스트였다. 세 번째 퀘스트인 '안중근과 함께 이토 히로부미 암살 계획을 세우시오'를 클리어하고도 네 번째 퀘스트도 안중근을 돕는 퀘스트일 확률이 높다는 생각이 들었다.

이런 저런 생각을 하다 보니 독립운동가들 기지에 도착하였고 나는 안중근을 불렀다.

"오, 왔구나. 태극판은 가져왔니?"

"네… 가져왔어요."

안중근은 믿기 힘들다는 표정을 짓더니 이후 환한 미소를 띠며 나를 살갑게 맞이해 주었다.

"태극 판을 건네주겠니? 같이 만들어 보자."

몸은 굉장히 피곤했지만, 안중근과 함께 태극기를 만드는 지금 이 순간이 즐거웠다. 몸의 피곤을 잊어버릴 정도로 태극기 만들기에 집중하자 우리는 금방 태극기를 제작하였다. 태극기가 만들어지자. 독립운동가들은 환호하기 시작했다. 사람들은 나에게 칭찬을 아끼지 않았고 난생처음 느껴보는 기분에 아주 좋아 미소를 숨길 수가 없었다.

그렇게 나는 정식으로 안중근의 일본어 통역사가 될 수 있었고 독립운동가 단원에 합류하게 되었다. 극적인 하루의 밤이 깊어졌고 안중근은 나를 밖으로 불러냈다.

"요안아, 의심하는 게 아니라 그냥 물어보는 건데 태극 판 어떻게 가지고 온 거야?"

"시키신 대로 이토 히로부미의 임시 거처 창고에 왔는걸 가지고 왔어요."

"그래? 혹시 어떻게 했던 건지 물어봐도 될까?"

"이토 히로부미의 딸인 이토 나쁜을 만났어요."

"뭐라고? 딸도 조선 지배 계획을 세우는 거야?"

"아뇨, 이토 나쁜은 오히려 지배하기를 싫어해요. 태극판 훔치는 것도 이토 나쁜이 도와줬어요."

"요안아, 이토 나쁜이 착하다고 해서 우리가 독립운동을 할 마음은 변치 않는다는 거 알지?"

"네, 알아요. 그래서 어떻게든 이토 히로부미를 막을 계획이에요."

"그래, 오늘은 늦었으니까 이만 들어가자."

세 번째 퀘스트인 이토 히로부미 암살계획은 말하지도 못했다. 물론 역사적 사실로는 안중근이 이토 히로부미를 제거했다는 건 알고 있다. 근데 내가 먼저 이토 히로부미 암살계획을 제안한다는 게 이토 나쁜에게 못할 짓인 것 같아서 차마 말하지 못했다.

다음 날 아침이 밝았고 더는 퀘스트를 미룰 수 없었던 나는 안중근에게 조심스럽게 말하였다.

"안중근 씨, 이토 히로부미는 조선을 먹으려고 해요. 주장이 너무 강해서 자신과 의견이 다른 사람이라면 폭력을 행사해요. 그게 설령 본인의 딸일지라도."

"알고 있어 사실 너한테 처음 말하는 건데 다음에 이토 히로부미가 다시 한국에 올 거다. 그때를 노려서 이토 히로부미를 제거할 계획이다. 장소는 하얼빈역, 이 계획이 성공하려면 너의 도움이 꼭 필요해, 사람을 죽이는 계획이라 물론 불편할 수는 있어 도와달라고 강요는 안 할게 어떻게 할래? 너의 선택에 맡기마."

퀘스트를 클리어해야 하기 때문에 어쩔 수 없이 답하였다.

"당연히 도와드려야죠."

마음은 편치 않았지만 어쩔 수 없는 선택이라고 생각했다.

"그래 일단 우리와 함께할 사람들을 소개할게"

안중근은 나에게 독립운동가분들을 소개해 주었다. 소개해 준 사람 중에는 익숙하거나 신기하거나 대단한 사람이 있었다.

"이분은 민두 선생님이신데 아주 높은 지위를 가지고 계셔서 우리 운동을 도와주시고 계셔"

민두 선생님... 민두? 이름이 만두와 비슷해서 이름을 외우기 쉬울 것 같았다.

"자 이분은 안일성이셔."

안일성...? 분명 어딘가 들어봤다고 생각할 때 내 귀로 조심스럽게 말을 해주셨다.

"저 친구가 나랑 친구인데 안일성은 내가 동양평화론이란 걸 적는 걸 껄끄러워해 그러니까 안일성 앞에서 동양평화론에 대해서는 이야기하지 마"

그러자 나는 딱 한 사람이 떠올랐다. 동양평화론을 껄끄러워했으며 나와 같은 성을 가진 사람 바로 고조할아버지였다. 고조할아버지가 안중근과 친구였다니 나는 믿을 수 없는 사실에 머리가 아파지기 시작했다.

"괜찮아?"

"아, 네. 괜찮아요."

나를 걱정해주는 고조할아버지 안일성 솔직히 내가 고조할아버지와 있다는 것이 실감이 나지 않았디. 인중근과 함께 작전을 세워야 했기에 고조할아버지에게 자리를 잠깐 비켜달라고 하려 했다. 고조할아버지가 귓속말로 나에게 이야기를 하였다.

"너는 안중근이 동양평화론 같은 말도 안 되는 걸 쓰자고 하면 무조건 거절해라. 동양평화론은 말도 안 되는 모순된 이론일 뿐이야."

고조할아버지는 예전부터 동양평화론을 마음에 들어 하지 않았던 것 같다. 그러자 안중근이 들어왔고 안일성 즉 고조할아버지는 방을 나가셨다. 그렇게 안중근과 암살계획을 세우기 시작했다.


**<세 번째 퀘스트, 안중근과 함께 이토 히로부미 암살계획 세우기 클리어하였습니다!>**

**<세 번째 퀘스트 보상으로 실톱 날을 받습니다.>**

실톱 날이라… 머리가 멍해졌다. 실톱 날은 뭔가를 자를 때 쓸 텐데 내가 뭔가를 자를 일이 생길까? 의문이 들었다. 의문에 빠져있던 것도 잠시 눈앞에 네 번째 퀘스트 나타났다.

# 제 4 화 결말의 꽃을 향해

한 희 원 , 윤 수 호

< 네 번째 퀘스트, 안중근을 도와 이토 히로부미를 암살하시오. >

이토 히로부미 암살계획이 어느 정도 윤곽이 잡혔고 우리는 다른 독립운동가들한테 암살계획을 말하였다. 반응은 차가웠다.

"뭐라고? 헛소리하지 마. 네가 죽이면 어떤 처벌을 받을지 잘 알잖아"

"요안인가, 요한인가… 저 꼬마가 시킨 거야? 안중근이 이토 히로부미 죽여야 한다고? 야 이놈아 네 손에 피 안 묻히려고 안중근을 이용해?"

"미안하다. 중근아 이번 일은 못 도와줄 것 같아"

너무나 갑작스러운 소식에 독립운동가들은 적극 반대를 하였고 일부 독립운동가들은 니를 의심하기 시작하였다. 상황이 심각해지자 안중근이 말하였다.

"그 누구의 강요도 없었습니다. 다 저의 생각이었고요. 요안이는 그저 저를 도와준 것뿐입니다. 하얼빈에서 쏠 겁니다. 절대 변하지 않을 거고요. 믿고 지켜봐 주시기 바랍니다.”

시간이 흘러 슬슬 결전의 날이 다가오고 있었다. 며칠 전 암살계획을 말하고 나와 안중근은 독립운동가들과 사이가 서먹해졌다. 그렇게 계획의 세부화를 하는데 문제가 생겼다. 계획을 진행하기에 사람이 너무 부족했다.

이토 히로부미 정도의 사람이 오는 거면 많은 경비인원이 대기하고 있을 텐데 나와 안중근 2명이 그 경비인원을 뚫기에는 역부족이었다. 우리는 어쩔 수 없이 있는 인원대로 중국으로 떠날 계획을 세우게 된다.

중국으로 떠나기까지 이제 정말 시간이 얼마 남지 않았다. 그날도 어김없이 나와 안중근은 계획의 시뮬레이션을 돌리고 있었다. 그때였다. 누군가가 말하였다.

“아무리 생각해도 두 명으로는 못하겠지? 우리가 도와줄게”

“중근 이의 뜻이 우리의 뜻인 거지 안 그래?”

독립운동가들이 우리를 도와주기 위해 나서 주었다. 덕분에 계획의 구체화를 잘 시킬 수 있었고 우리는 완벽한 계획을 세우며 그날을 대비하기 위해 준비하였다. 모든 계획은 완벽하였다. 다만 마음에 걸리는 게 있다면 이토 나쁜이었다.

하루 아침에 아빠를 잃는다면 어떻게 될까.. 차마 내가 공감할 수 없는 아픔이었다. 내가 친구의 아빠를 죽이는 것 같아서 죄책감에 고개를 들 수 없었다.

마침내 중국에 도착하였다. 내일이면 이토 히로부미와 이토 나픈이 이곳에 올 거다. 어쩌면 오늘이 안중근과 보낼 수 있는 마지막 밤일지도 모르겠다는 생각에 눈물이 나올 것 같았다. 혼자 슬픔을 참고 있는 나를 안중근이 불러내 말하였다.

"요안아, 내일 내가 이토 히로부미를 쏘면 괜히 엮일 수도 있으니까 내가 총을 쏘는 순간 빨리 그 자리에서 도망쳐"

"네? 그게 무슨 소리예요. 어떻게 그래요!"

"장난으로 하는 말 아니야 이 일에 엮여서 좋을 것 없어, 법은 아니라고 해서 봐주지 않아 후회해도 그땐 이미 늦거든."

"그래도 그럴 순 없어요"

"요안아, 내가 너에게 하는 마지막 부탁이야 잘 알겠지?"
안중근은 이 말을 하고 숙소로 돌아갔다.

나도 이제는 내가 이해가 안 갔다. 현실 세계에서의 나는 분명히 안중근을 싫어했다. 안중근이 이토 히로부미를 쏜 행위를 테러리스트라고 지칭했다. 근데 안중근이 내일 그 테러리스트 행위를 하려고 하는데 오히려 안중근이 걱정된다. 아무것도 모르면서 안중근을 욕했던 현실 세계의 내가 원망스러웠다. 사람이 이렇게 모순적이어도 되는 걸까? 다시 현실 세계로 돌아갈 수만 있다면 모든 걸 바로잡고 싶다.

날이 밝았다. 우리 독립운동가들은 서로 눈치를 보며 아무 말도 하지 않았다. 어떤 사람은 미래를 예상이라도 하였는지 벌써 눈물을 흘리고 있었다. 기차역은 아침부터 이토 히로부미를 만나기 위한 사람들로 가득하였고 우리는 일찌감치 자리를 잡았다.

기차가 멀리서 오는 걸 보자 우리 독립운동가들은 기다렸다는 듯이 모두 숙연해졌다. 마침내 기차에서 사람들이 내리기 시작했다. 하지만 문제가 있었다. 우리 독립운동가들은 그 누구도 이토 히로부미의 얼굴을 실제로 본 적이 없었기 때문에 우리 나름대로 작전을 세웠다.

물론 나는 현실 세계에서 이토 히로부미의 얼굴을 자주 봤지만, 사실대로 말할 수는 없으니 내가 일본 사람들의 호응을 해석해서 이토 히로부미를 안중근한테 알려줘서 안중근이 이토 히로부미를 쏘는 작전으로 계획을 세웠다.

기차에서 사람들이 내리기 시작하고 얼마 안 가 이토 히로부미가 내렸다. 나는 이미 얼굴을 알고 있었기 때문에 사람들의 호응을 해석한 척하며 안중근에게 이토 히로부미를 알려주었다.

안중근은 이토 히로부미를 정확히 쐈고 이토 히로부미는 피를 흘리며 쓰러졌다. 정류장은 곧바로 아수라장이 되었고 일본 경찰들은 안중근을 제압하러 달려들었다. 그때였다. 우리 독립운동가들은 기다렸다는 듯이 소리쳤다.

"대한제국 만세!"

"대한제국 만세!"

"대한제국 만세!"

일본 경찰들은 곧바로 우리 독립운동가들까지 제압하려 달려 들었고 우리는 필사적으로 뿌리쳤다. 안중근은 손짓으로 어서 도망치라고 했지만 도망칠 수 없었다. 아니 도망치고 싶지 않았다. 그렇게 나는 계속 당당하게 만세를 외쳤다. 주저앉아 넋을 놔버린 이토 나쁜을 보기 전까지는.

이토 나쁜을 본 이상 더는 만세를 외칠 수가 없었다. 아수라장이 돼버린 정류장을 헐레벌떡 빠져나왔다. 다행히 이토 나쁜을 날 보지 못한 것 같았다.

**<네 번째 퀘스트 안중근을 도와 이토 히로부미를 처단하세요, 성공.>**

**<보상으로 '요안'을 닮은 인형을 지급해 드립니다.>**

세 번째 퀘스트부터 보상이 이상해지는 것 같다. 첫 번째, 두 번째 퀘스트 보상은 다음에 반드시 필요한 핵심 아이템이었는데 실톱날과, 나를 닮은 인형은 뭐 장난치는 것도 아니고 그래도 이렇게 준 거 보면 이유는 있을 것 같은데 도저히 감이 안 잡혔다.

사람을 죽이며 친구에게 상처를 준 나에게 준 보상이 고작 인형이라는 게 너무 화가 났다. 내게 남은 건 이제 인형과 실톱 날밖에 남지 않았다. 유일한 친구는 절규하고 있고 소중한 동료는 탄압당하고 있다. 모든 게 허무하게 느껴졌다.

저 멀리서 러시아 제국군 경찰들이 쫓아오는 게 보였다. 하지만 도망갈 수가 없었다. 나는 친구의 아빠를 죽이는데, 일조한 사람이라는 죄책감이 나의 다리를 잡아 놓았다. 그렇게 그 자리에 서서 러시아 제국군이 오기를 기다리고 순순히 잡혔다.

경찰들에게 제압당하는 과정에서 엄청나게 맞았다. 더는 힘을 쓸 수 없었고 독립운동이 벌어졌던 하얼빈 정류장으로 끌려가게 됐다. 나를 포함해서 거의 모두가 이미 체포가 된 상황이었고 이토 나뇬은 목 놓아 울고 있었다. 다행히도 이토 나뇬은 상황이 상황인지라 우리 독립운동가들을 전혀 신경 쓰지 못했고 다행히도 나는 끌려가는 모습을 들키지 않을 수 있었다.

# 3 시작과 끝
그리고 결말

# 제 1 화  닫 히 는  희 망

안 요 한 ,  노 윤 서

한참 뒤 눈이 떠진 후 주변을 둘러보니 보이는 것이라고는 창문 하나 없는 작은 방과 그 너머에 있는 제복을 입은 사람이었다.

"여기가 어디인가요…?"

내가 묻자 돌아오는 것은 날 잡아먹기라도 할 듯 따가운 시선과 당장에라도 내게 와 폭력을 행사하기라도 할 듯한 몸짓이었다. 그랬기에 나는 더는 그 사람에게 아무것도 물을 수 없었다. 그래서 주변을 조금 돌아보며 정보를 얻으려 했다.

"너, 독립운동하지? 그래서 거기서 안중근인지 뭔지를 도운 거고."

그러나 들려오는 질문에 아무것도 할 수 없었다. 익숙한 듯한 반말과 고압적인 태도에 나는 완전히 압도되었다. 상황을 보아하니 저쪽은 일본 경찰인 듯했다. 그는 이미 다 알고 있다는 듯, 그렇지 않아도 그래야 한다는 듯 내 속을 꿰뚫어 보는 것 같아서 뻔뻔하게 행동하고자 했던 마음이 눈 녹듯 사라져 버렸다. 그렇지만 여기서 무너지면 나는 이곳에서 죽고 현실로 돌아가는 것은 꿈도 못 꿀 듯하여 마음 굳게 먹고 답했다. 뻔뻔하되 너무 오만하지는 않게, 떳떳하게.

"그래요, 나는 독립운동을 했어요. 내가 뭘 잘못한 건가요?"

일본 경찰은 나를 마음에 들지 않는다는 듯 언짢은 눈빛으로 나를 바라보았다. 과거에 배우기를 이런 심문을 할 때는 폭력을 종종 행사했다고 들었던 기억이 있다. 그러자 몸이 자동반사적으로 눈을 꼭 감고 팔로 머리를 보호하는 등 움츠러들었다. 그렇게 약 삼 초간의 정적이 흘렀다.

"너 뭐 하냐?"

내 착각이었는지 일본 경찰은 어이없다는 표정으로 나를 바라보았다. 나는 뻘쭘해서 다시 제대로 자리에 앉았다. 그는 노트에 뭔가 끄적끄적 적더니 심문을 마쳤다며 나보고 나가라 했다. 정말 순식간에 심문이 끝나 나는 어리둥절했지만 좋은 일이라 여기고 바로 빠져나와 철창 안으로 향했다.

아무래도 이곳은 임시 감옥인 것 같았다. 그 안에는 나를 제외하고도 바닥에 앉을 자리가 부족할 만큼 사람들이 많이 들어차 있었으니까. 그중에서는 안중근도 있었다. 그럴

게 좁디좁은 곳에 한 시간 정도 있었더니 이동을 해야 한다며 우리를 모두 기차에 태웠다. 얼마나 이동했을까, 하루를 꼬박 달린 것 같았다.

밖을 바라보니 큰 건물이 보였다. 아마⋯ 재판장이거나 감옥이겠지. 이제야 실감이 났다. 이곳은 현실이구나. 나는 이곳에서 죽을 수도 있겠구나. 단지 퀘스트를 성공해야 하는 간단한 세계라고 생각했지만 더는 그런 곳이라는 생각이 들지 않았다. 두려움과 공포만이 그 빈 곳을 채울 뿐이다.

"어이, 다들 빨리빨리 이동해!"

일본 경찰이 기차 문을 열고 들어오며 소리를 질렀다. 그러자 나와 안중근, 그리고 임시 감옥에 함께 있었던 사람들이 기차에서 내려 이동했다. 지시에 따라 조금 걷다 보니 멀리 감옥이 보였다. 그걸 보아하니 기차에서 봤던 이 큰 건물은 재판장이겠지.

"자, 너희는 앞으로 재판을 각자 받게 될 것이다. 한 번에 네 명씩 들어가서 재판받게 될 거고, 재판은 바로 한 시간 뒤부터 할 거니까 다들 그렇게 알아!"

그 후 경찰들은 임시 대기실로 우리를 이동시켰다. 조금 시간이 지났을까, 일본 경찰들이 들어와 나와 안중근, 그리고 두 명의 사람을 추가로 더 이동시켰다. 재판장에 들어가자 거기에 있던 모든 이들이 우리를 주목했다. 분위기가 너무 무겁고 눅눅해서 견딜 수가 없을 것 같았다.

"지금부터 재판을 시작하도록 하겠다. 다들 정숙하도록!"

들리는 소리에 서둘러 우리는 피고석에 앉았다. 먼저 다른 두 사람의 재판이 끝나고 나의 차례가 왔다. 나는 내가 받을 과한 형을 기다리며 재판관을 조용히 바라보았다. 재판관은 내게 3년의 징역을 선고했다. 생각했던 것보다는 적은 형량이라 놀랐지만, 그 이유는 곧 알 수 있었다. 다음 차례가 안중근이라 그런지 일본 경찰들과 재판관들 사이에서 이상한 기류가 흐르고 있었다. 아무래도 긴장을 한 것처럼 보인다. 사실, 그럴만하다고 생각한다. 대충 듣기로는 안중근이 말을 굉장히 잘한다고 했으니까. 그래서 그랬을까, 이 재판은 비공개로 진행되었다.

"피고 안중근의 이토 히로부미 사살 건으로 재판을 시작하도록 하겠습니다."

재판이 시작되었고, 나는 안중근을 쳐다보았다. 안중근은 자신을 최악의 죄인으로 끌고 가려는 재판소의 분위기에서도 전혀 굴하지 않고 당당히 고개를 들고 있었다. 재판이 시작되었을 때 안중근과 재판장은 서로 다양한 말이 오갔고 내가 이해할 수 없는 말들 투성이었다. 하지만 확실하게 내가 알 수 있었던 것은 안중근이 말을 잘하여 재판장이 당황하게 하였으며 이 재판을 비공개로 한 이유에 대해 실감하고 있었다. 하지만 재판 결과는 정말 억지스럽게 우리의 유죄로 판결되었고 다 같이 뤼순 감옥으로 들어가게 되었다.

안중근은 정말 많이 끌려가 고문을 당했다. 나는 통역사라고 고문을 당하지는 않았다. 그렇게 안중근은 끊임없이 고문을 당했고, 점점 초췌해졌지만, 안중근의 동양평화론 완성은 전혀 포기할 생각이 없어 보였고 내가 희망을 잃으면 안 되기 때문인지 강한 모습을 계속 보여줬다. 그러던 어느 날 안중근이 진지하게 나에게 말을 걸었다.

"요안아, 이대로 가다간 내가 곧 죽을 것 같구나.."

"그런 말 하지 마세요! 죽긴 왜 죽어요..!"

나는 지금까지 안중근을 욕해왔으며 테러리스트라고 생각해 왔지만, 그와 같이 다니며 너무나도 좋은 사람이라고 느꼈기에 안중근이 곧 죽을 것 같다고 하자 화를 내며 말도 안 되는 소리를 하지 말라고 말하였다. 그때 저기서 안중근을 끌고 가려는 경찰이 다가오고 있었다. 그때 안중근이 나에게 말을 걸었다.

"요안아... 너가 이 회중시계를 가지고 있어줄 수 있을까...?"

안중근은 나에게 회중시계를 건네며 작게 웃었다. 나는 어쩔 수 없이 회중시계를 받았고 안중근은 끌려가 다시 오지 않았다.

# 제 2 화 새로운 시작은 뤼순 감옥

노윤서, 안요한

혼자 어떻게 해야 하는지 고민하고 당황해하던 그때 퀘스트 창이 내 눈에 나왔다.

<퀘스트를 실패하였습니다. 1시간 후 소멸합니다.>

그 문장을 본 순간 나는

"내가 완성해야 한다."

그 생각에 사로잡혀 나는 앞에 안중근 선생님이 두고 간 동양평화론 책을 펼쳐 내가 아는 단어를 사용하여 적기 시작했다. 그렇게 10분, 20분, 30분, 마침내 1시간이 지나자. 퀘스트 창이 나타났다.

<퀘스트 실패로 인해 소멸합니다.>

그 문장이 뜨고 몇 초 후 다른 퀘스트 창이 나왔다.

<동양평화론을 완선하셨습니다. 보상이 주이집니다. 완료 보상은 현실 세계의 나에게 물건 하나를 전해줄 수 있습니다. *주의* 직접 전해주어야 하며 말은 불가능합니다.>

나는 기회가 왔다고 생각하며 언제로 가야할지 생각했다.

학교에서는 줄 수 없을 것이다. 점심시간에는 축구하러 갔었고… 아침에는 집 비밀번호를 잊어버렸었다. 딱 맞는 것은 집에 가는 시간뿐이었다.

나는 그 생각을 하며, 내가 하교할 때 시간으로 돌아갔다. 난 먼저 안요안을 찾았다. 생각해 보니 내가 전해주면 당황해할 게 뻔하다. 그렇기에 옆에 있던 후드를 뒤집어쓰고 기다렸다. 가만히 기다리다 보니 저기서 내가 걸어오고 있었다. 기다리는 동안 어떻게 회중시계를 전해주어야 할지 고민했었기에 지금 걸어갔다. 점점 안요안과 가까워졌다. 안요안과 어깨가 부딪치며 동시에 회중시계를 떨어트렸지만 예상치 못하게 안요안이 목걸이를 떨어트렸다.

'아니 왜 목걸이를 주머니에 넣고 다니는 거야!'

그런 생각하며 목걸이를 주워주며 안요안이 회중시계를 주워주기 전에 반대로 빠르게 걸어갔다.

"앗…! 저기요! 뭐야, 어디갔지?"

"뭐지…? 사람 되게 빠르시네…"

"모르겠고- 난 그냥 집이나 가야겠다."

순간 현실 세계 요안의 눈앞에 트럭이 달려오더니 요안을 쳤다. 그러더니 세상이 암전이라도 된 듯 캄캄해졌다.

"아야… 머리야… 여기가 어디지? 머리가 깨질 것 같아…"

"난 분명 트럭에 치였는데? 그리고 여긴 대체 어디야!!"

믿기지 않는 광경에 아무 말도 없이 눈물이 흘렀다. 처음 보는 공간과 내가 살던 세상이 아니라는 것을 알아채고 이곳이 어디인지 알기 위해 주변을 둘러보고 있었다.

<첫 번째 퀘스트가 도착했습니다.>

그 소리가 들리며 내 눈앞에는 감옥이 있었으며 내 손에는 아까 어떤 사람이 떨어트렸던 회중시계를 들고 있었다. 앞에 어떤 창이 생겼다. 그 창에는

<안중근을 지키시오.>

그 문구를 보자마자 이건 무슨 말도 안 되는 소리인가 생각하며 상황 파악이 되지 않았다. 그때 내 손에 있던 회중시계가 빛나며 퀘스트를 바꾸었다. 바뀐 퀘스트 내용은

**<다섯 번째 퀘스트 동양평화론을 완성하고 이루시오.>**

라는 문구가 적혀있었다. 그 문구를 보는 순간 내가 왜 이 감옥에 있는지 이곳이 어떤 곳인지 머릿속에 들어오기 시작했다. 기억이 나며 가장 먼저 든 생각은 이 동양평화론을 들고 감옥을 탈옥해야 한다는 것이었다. 그 생각을 하며 어떻게 탈옥해야 할지 일본 경찰이 잠시 일을 보러 갔을 때 감옥을 천천히 살피기 시작했다. 그때 반대쪽 감옥에서 누가 날 부르고 있었다.

"야! 거기 어린이!"

그 말을 듣고 주위를 살피자 다시 한번 소리를 질렀다.

"그래! 지금 주위 둘러본 너!"

"저…저요?

"그래, 너! 너 지금 탈옥하려고 그러지?"

지금 감옥에서 저런 말을 크게 하려고 하다니 제정신인 건지 궁금하려던 찰나 옆 방에서 소리가 들렸다.

"아잇… 저 양반 또 시작이네 거기 도염 양반! 이곳은 탈옥 불가능이라고!"

도염? 앞 방 아저씨 이름인가 생각할 때 옆 방에서

"아잇, 가능하다니까? 지금 내 머릿속에 기가막힌 아이디어가 있는데 왜 아무도 안 들어줘!"

그 말을 들은 내가 솔깃해 물어보았다.

"저… 도염 아저씨? 그 탈옥 할 계획이라는 것이 무엇인가요?"

그러자 도염 아저씨는 말했다.

"그래! 넌 내 말을 들어주는구나! 넌 이름이 뭐니?"

"전 안요안입니다."

"그래, 왜 탈옥을 결심한 거냐?"

그 말을 들은 나는 어떤 말을 해야 할지 몰랐다. 사실 내가 동양평화론을 완성해야 할 이유는 퀘스트 때문이다. 근데 과연 내 말을 들어줄까?

"그… 말로 설명은 못하지만 저는 꼭! 탈옥을 해야 해요."

잠시 동안 생각에 잠긴 아저씨는 몇 분에 걸쳐 생각하다 말을 꺼내셨다.

"흠… 알겠다. 일단 지금은 경찰 녀석이 오고 있으니까 이 따 밤에 아무도 없을 때 이야기하는 게 좋겠구나."

나는 도염 아저씨의 말을 수긍하여 밤이 오기를 기다렸다. 그렇게 약 네 시간 정도 흘러 자야 하는 시간이 되었다. 그 시간이 되자 앞에 도염 아저씨가 나에게 말을 걸었다.

"야 일단 이 감옥에는 치명적인 약점이 있어… 여기 사람들은 탈옥하려고 안 하니까 잘 모를 텐데 내가 고문까지 당하면서 얻는 게 있다고!! 바로…"

그 말을 꺼내는 순간 옆에서 경찰이 다가와 도염 아저씨의 뺨을 때리며

"김도염! 또 그러네. 또 맞고 싶어?"

그렇게 말하며 도염 아저씨를 끌고 가셨다. 그때 도염 아저씨는 나에게 종이 하나를 흘리고 가셨다. 나는 경찰이 보기 전에 그 종이를 주웠고 끌려가는 도염 아저씨를 보았을 때 도염 아저씨는 나를 보며 웃고 계셨다.

"아저씨…!"

나는 끌려가는 도염 아저씨를 보며 아무것도 할 수가 없었고 경찰이 갔을때 종이를 열어보았다. 그 종이에는 이 감옥에 약점이 있었는데 이 감옥에서 탈출할 수 있는 약점을 보려고 하자 그 순간 옆방에 있는 만덕이 아저씨가 나를 불렀다.

"야! 요안아! 너 그걸 보고도 탈옥할 마음이 드는 거야?"

만덕 아저씨도 도염 아저씨에게 감옥의 약점을 들었던 모양이다.

"저는 꼭 탈옥해야 해요."

나는 이 말도 안 되는 약점을 보고 당당하게 말했고 만덕이 아저씨는 한숨을 내쉬며 나에게 화이팅하고 죽지만 말라는 말을 남기셨다. 그렇게 다음날 아침이 되었다. 앞방에 도염 아저씨는 멍이 많이 생긴 상태로 주무시고 계셨다. 이제 작전 시작이다. 컨디션 관리가 중요하지만, 약점을 이용해 탈옥할 계획을 짜다 보니 밤을 새우게 되었다. 먼저 약점은 총 세 개였는데 그중 첫 번째가 경찰이 자주 자리를 비운다는 것이었다. 실제로 감옥에 있으면서 경찰은 자주 다른 곳을 갔었고 오는 시간도 늦었다. 가장 중요하다고 생각하는 두 번째 약점은 창문에 있는 철창이 생각보다 약하다는 것이었다.

나는 두 번째 약점을 보고 창문에 있는 철창을 만졌다. 창문에 크기는 충분히 내가 들어갈 수 있는 크기였고, 내가 어떻게 철창을 부수고 탈옥할 수 있는지 봤을 때 퀘스트 보상으로 받은 실톱 날을 생각해서 두 번째 약점으로 쉽게 탈옥할 수 있을 것 같았지만 생각해 보면 시간이 많이 걸리면 경찰에게 걸리기 때문에 생각보다 위험한 방법이었다.

세 번째 약점은 경찰이 죄수에게 관심이 전혀 없다는 것이다. 그러니 내가 무엇을 하든 어차피 들키지 않는다는 것이다. 가뜩이나 자주 자리를 비우는 경찰이 죄수에게 관심까지 없으니. 나에게는 너무나도 좋은 기회였다. 근데 내가 쇠창살이 부서져 있는 것을 보고, 경찰이 탈옥을 했다고 생각할 수 있기 때문에 쇠창살을 어떻게 해야 붙일 수 있을지 생각을 하고 있었다. 아무래도 주변 사람들에게 조언을 구하면 좋겠다고 생각했다. 나는 바로 옆 방에 있던 만덕아저씨에게 물어보았다. 아무래도 도엽 아저씨와 친해 보였는데 같이 탈옥하려 하지 않았을까하는 나의 생각이 들었기 때문이다.

"뭐, 알고 있긴 하지."

"진짜요? 정말 쇠창살을 붙일 방법이 있어요?"

"없는 건 아닌데… 이게 좀 머리가 좋아야 해."

"머리가요…?"

머리가 좋아야 쇠창살을 붙일 수 있다는 말에 당황할 수밖에 없었다.

그러자, 앞에서 잠에 깬 도엽 아저씨가 한마디 하였다.

"근데 내가 보기에는 너는 충분히 가능해"

이렇게 아저씨들이 말하니 나는 쇠창살을 붙일 수 있는 방법이 너무나도 궁금해졌고, 그 방법은 머지않아 곧 알게 되었다.

"거기, 너. 손재주 좋냐?"

일본 경찰이 나에게 다가와 말하였다.

"예, 제가 손재주는 좋습니다!"

갑자기 손재주가 좋냐고 물어보았을 때 나는 망설임 없이 손재주가 좋다고 했다.

"그래, 이리로 와서 이것 좀 만들어라."

경찰이 뭘 부탁하길래 손재주가 좋은 사람을 구한 걸까, 그때 경찰 앞에는 점토가 있었다. 갑자기 무슨 점토가 나오길래 나는 만지작거리고 있었다. 그러자 뒤에서 도염 아저씨가 말했다.

"그래, 그게 쇠창살을 붙일 수 있는 수단이 될거다."

그러나 만덕이 아저씨가 말을 덧붙이듯 말했다.

"우리가 일본어를 못해서 얻지를 못했는데 넌 잘해서 다행이구나."

하지만 만들어 주면 점토의 양이 너무 부족해진다. 작게 만들어서 빼돌리면 들킬 게 뻔하다. 그때 만덕이 아저씨가 웃으면서 말하셨다.

"점토의 양이 부족한 거지? 그러면 희언이라고 너랑 같은 또래 애기가 있거든? 걔한테 가. 걔도 일본어를 잘해서 그런가 재밌다고 점토를 많이 빼돌렸어."

나는 일단 경찰이 만들어 달라는 것을 만들어 주기 시작했다. 경찰은 내가 오래 걸릴 것이라고 생각했는지 또 자리를 비웠다. 그때 다른 방에서 내 또래 같은 목소리가 들려왔다.

"나도 점토 만지고 싶어!"

점토를 좋아하는 거 보니 이전에 만덕 아저씨가 말했던 희언인가 보다 나는 점토를 만지면서 희언에게로 다가갔다.

"안녕! 너가 희언이구나?"

"안녕, 너도 점토를 좋아해서 만지는거야?"

"응! 넌 점토를 많이 가지고 있어? 내가 점토가 많이 필요해서 말이야…"

희언이는 잠시 생각에 잠기더니 나에게 질문을 하였다.

"혹시 너가 이전부터 이야기하던 동양평화론? 그것에 대해서 이야기 해줄 수 있어?"

나는 희언이가 동양평화론이 궁금하다는 것이 신기했지만 일단 내가 안중근과 함께 다니며 생각한 동양평화론에 대해 희언이에게 설명해 주니 희언이는 흥미로운 표정이었다.

"나도 동양평화론이 실현되는 걸 보고 싶네."

"그래 내가 꼭 동양평화론이 실현되는 걸 보여줄게!"

나는 자신감에 꽉 찬 목소리로 대답했고 주변에 갇혀있던 독립운동가들이 내 말을 듣고 꼭 실현시켜 달라고 나를 응원해 줬다, 나는 주변에 응원을 듣고 꼭 동양평화론을 꼭 실현시켜야겠다는 생각이 들었다.

얼마나 지났을까. 경찰이 나에게 오며 말을 걸었다.

"뭐야, 다 만들었어?"

"아, 네. 생각보다 쉬웠어요."

나는 만들다가 남은 점토도 챙겼다.

"야, 이제 다시 들어가."

나는 감옥에 다시 들어가 아침 일찍 작전을 시작하기로 했다. 그렇기에 나는 먼저 잠을 청했다. 다음날 아침, 나는 퀘스트 보상으로 얻었던 실톱날로 쇠창살을 갈기 시작했다. 다행히 경찰이 오지 않았고 너무나도 쉽게 쇠창살이 뚫렸다. 근데 내가 쇠창살을 메꾼다고 해도 내가 없어져 있으면 눈치를 채지 않을까? 하는 생각이 들었다. 근데 생각해 보니 퀘스트 보상으로 나랑 닮은 인형을 받았었다. 그 인형으로 속이면 되겠다는 생각이 들었다.

"이제 가는 거야?"

놀라서 뒤를 돌아보니 앞에 있는 도염 아저씨였다.

"이야, 인형은 어떻게 만든 거야? 너무 잘 만들어서 네가 두 명인 줄 알았어."

도염 아저씨가 인형 이야기를 하자 옆 방에 있던 만덕 아저씨도 한마디 하셨다.

"인형을 만들었어? 그 짧은 시간에? 그렇게 탈옥이 하고 싶었나 보구나 얼른 나가서 동양평화론을 완성해야겠네!"

만덕 아저씨와 도염 아저씨의 긍정적인 모습을 보니 나도 덩달아 기분이 좋아졌고, 정말 꼭 동양평화론을 실현시키는 것을 보여드리고 싶었다.

# 제 3 화  동 양 평 화 론 을  향 해

안요한, 김영광

드디어 밖이다. 먼저 나는 동양평화론을 적어야 하기에 내가 안중근이 적었던 글을 떠올린다는 사실에 신기해했으며, 탈옥했다는 기쁨도 잠시 일단 먼저 내가 탈옥했다는 증거를 지우기 위해 희언이에게 얻은 점토로 쇠창살을 붙였다. 증거를 지우녀 감옥에 두고 온 희언이가 계속 생각 났지만 어쩔 수 없었기에 증거를 지우고 감옥에서 멀리 떨어졌다. 먼저 동양평화론에 있던 세계 평화를 적어내야 한다. 안중근이 생각하던 평화는 무엇이었을까? 잠시 나는 생각에 빠져 있던 찰나 저기서 누군가가 다가왔다. 누군가 했을 때 이토 나븐이었다.

"저기, 요안아! 혹시 내가 더 도와줄 게 있을까?"

감옥에서 내가 나오길 기다린 이토 나븐이었다. 나는 이토 나븐을 보자 딱 한 가지가 떠올랐다. 바로 이토 나븐에게 도움을 받아서 동양평회론을 완성시키면 되겠나는 그 생각을 하고 이토 나븐에게 제안을 걸었다.

"이토 나븐! 혹시 한국과 일본이 화해를 했으면 좋겠어?"

그 말을 들은 이토 나븐은 강한 긍정을 표현하며

"당연하지! 내가 할 수 있다면 꼭 화해시키고 싶어!"
라며 긍정적인 말을 꺼내주었다. 먼저 생각해 볼 때 어떻게 해야 이토 나눈을 일본 대표로 세울 수 있다면 한국 대표는 누구로 세워야 하는지 고민에 빠졌다. 사실 내가 한국 대표로 세워지면 편하지만, 나는 그런 자리가 굉장히 불편했으며, 내가 퀘스트를 성공하게 되면 계속 이 과거에 남아있는지 아니면 현실로 가는지가 의문이었다.

 내가 현실로 가게 되면 한국 대표가 실종되는 것이기에 오해가 생길 수 있어 한국 대표로 누구를 세워야 하는지 고민에 빠졌다. 그때 머릿속에 생각나는 단 하나의 인물이 있었다. 감옥에서 나를 도와준 희언이가 생각났다. 나는 이토 나눈과 어떻게 희언이를 감옥에서 탈옥시킬지에 대해서 고민하고 있었다. 그렇게 이토 나눈과 내가 머리를 모아서 고민하고 있을 때 이토 나눈이 좋은 생각을 떠올렸다. 자신이 이토 히로부미의 손녀임을 감옥 경찰들은 알고 있고 그것을 이용하여 탈출을 돕는 것이 좋을 것 같다는 말을 하였다. 나는 그 말을 듣고 바로 실천에 옮기자고 하였다. 이토 나눈이 당당하게 뤼순감옥으로 가자. 감옥에 있던 경찰이 나왔다.
"어? 이토 나눈님? 어째서 이곳을 방문하셨습니까?"
"아 만나고 싶은 사람이 있는데 혹시 만나도 될까?"
이토 나눈은 자신있게 감옥으로 들어가 몇 분 뒤 희언이와 함께 교도소에서 나왔다.

"이토 나픈님 진짜 이거 걸리면 진짜 저 죽습니다."

"괜찮아 괜찮아 내가 절대로 들킬 일 없게 할 테니까 걱정하지 마."

이토 나픈은 너무나도 쉽게 희언이를 데리고 나오자. 나는 그냥 이토 나픈에게 부탁에서 감옥을 나올 수 있었는데 혼자 열심히 나온 내가 좀 후회스러웠다. 내가 후회를 하고 있을 때 이토 나픈과 희언이 어느새 내 눈앞까지 와있었다.

"요안아 데리고 왔어."

"좋아 이제 너희 둘을 대표로 만들면 되는 거야!"

그러자 희언이가 나에게 의문이 많은 표성으로 나에게 질문을 던졌다.

"근데 요안아 나를 굳이 왜 한국 대표로 세우려는 거야?"

"너는 일단 착하고 너도 이토 나픈과 같이 한국과 일본이 싸우지 않고 화해했으면 좋겠다고 생각하잖아? 그리고 넌 감옥에 있는 모든 사람들과 친할 정도로 친화력도 좋기 때문에 적합하다고 생각했어! 그리고 넌 동양평화론에 관심이 있었잖아! 네가 직접 실현시키는 거야!"

내가 질문에 대답하자 희언이는 납득을 한 듯 고개를 끄덕였다. 그렇게 일단 세 명이서 서로서로 이렇게 해야 서로 나라의 대표가 될수 있을지 고민하며 돌아다녔다. 이토 나픈은 일본에서 얼굴이 알려져 있기 때문에 가면을 쓰고 다녔다. 근데 이토 나픈은 이토 히로부미가 죽었기 때문에 사실 이토 나뇬이 세워지기에 일본 대표는 정해져 있다고 볼 수 있었다. 근데 한국 대표를 희언이가 어떻게 해야 될 수 있을지 생각해야 했는데 그때 옆 가게에서 어떤 소리가 들려왔다.

"만두사세요! 만두사세요!"

"어! 요안아, 우리 만두먹고 갈까?"

가면을 썼지만 기대하는 이토 나뇬에 얼굴이 보였다. 그때 갑자기 머릿속에서 하나에 단어가 떠올랐다.

'만두…만두… 만두…? 그래! 민두! 민두 선생님이 있었다!'

처음에 안중근 선생님과 같이 있던 사람의 이름이 민두라는 것을 듣고 만두와 비슷하다는 느낌을 받아 쉽게 외워져 빨리 생각이 났다.

"그래 높은 지위를 가지고 있는 민두 선생님이라면 도와주실 수 있을 거야!"

나는 늦기 전에 희언이와 이토 나뇬을 데리고 민두 선생님이 계신 곳으로 향했다. 민두 선생님 집 앞으로 도착해 문을 두드렸다. 그러자 민두 선생님이 우리를 반갑게 맞이해 주셨다.

"요안아 너는 안중근 선생님과 함께 감옥에 들어간 게 아니었니?"

나는 그 질문에 참 많은 생각이 들었고 지금까지 있던 일을 민두 선생님에게 털어놓았으며 감옥 사정을 모르던 이토 나눈은 충격을 받은 얼굴로 희언이와 나를 쳐다보고 있었다.

"그래, 그러면 이토 나눈과 희언이를 각 나라 대표로 선정해 서로 화해하겠다는 거지?"

"맞아요! 그러면 안중근 선생님이 바라던 동양 평화와 세계 평화가 현실이 되는 거예요!"

민두 선생님은 우리를 믿어주시는 것이 좋았고, 의욕이 넘치는 말투로 한번 해보겠다고 하셨다. 그렇게 민두 선생님의 집에서 세 명이서 잠을 청했고 다음날 아침 민두 선생님은 먼저 나가셨고 우리는 좋은 소식을 기다리고 있었다.

"민두 선생님은 참 좋은 사람 같아."

내가 민두 선생님의 칭찬을 하자 이토 나눈과 희언이는 내 말에 동의하였다.

"그니까! 어떻게 어린 우리가 제안했던 내용을 듣고 들어주실 수가 있지?"

희언이는 정말 신나있었고 이토 나눈은 조금 걱정스러운 생각을 하는 것 같았다.

"이토 나눈! 왜 그런 얼굴을 하고 있어 혹시 걱정이 있어?"

"아,,, 근데 내가 일본 대표로 화해를 한다고 해도 조선 사람들이 일본을 용서해 줄지 모르겠어.. 사실 일본이 이렇게 잘못했는데 사과한다고 들어주지 않을 것 같아서..."

"아니야! 사람들은 네가 진심으로 사과를 한다면 모두 용서해 주고, 이해해 줄 거야!"

나는 이토 나쁜의 걱정을 잊어버리게 했다. 옆에 희언이는 무슨 말인지 알아듣지 못한 거 같았지만 상황을 보고 걱정하지 말라는 말을 해주었다. 그렇게 시간이 지나 민두 선생님이 양손 가득 음식을 사서 돌아오셨다.

"얘들아 배고프지. 밥먹자!"

우리는 배가 너무 고파서 눈앞에 음식을 먹기 시작했다.

"아, 민두 선생님 일은 어떻게 되었나요?"

내가 질문하자 민두 선생님은 웃으면서

"일본 대표가 믿을 만하고 진심을 담아서 사과한다면 가능하다고 하시는구나."

그 말을 들은 나는 이 사실을 이토 나쁜에게 전했고 이토 나쁜은 웃으며 어떻게든 서로 화해를 꼭 시키겠다고 했다. 그렇게 다시 하루가 지나가고 있었다.

그렇게 다음 날이 되었다. 이제 진짜 역사 시간에 듣던 동양평화론이 내 눈앞에 펼쳐질 시간이 별로 남지 않았다. 우리는 각자 각국을 대표하는 청소년 대표가 되기로 하며 나와 이토 나쁜은 일본으로 희언이는 민두 선생님과 함께 이동했다.

일본으로 온 나와 이토 나쁜은 먼저 일본에 이토 나쁜이 이토 히로부미의 뒤를 잇는다는 것을 대중적으로 알리기 시작했다. 이토 히로부미가 죽었다는 것은 일본에 많이 알려져 있었고 그의 딸인 이토 나쁜은 어떻게 되는지 궁금해하는 사람들이 많았기 때문에 그냥 이토 나뇬이 방송에 나와 자신의 입장을 말하면 되는 거였다. 근데 사실 일본에 갈 때 어떻게 해야 방송에 나올 수 있을까를 생각했지만, 배를 타고 도착하자 이토 나뇬을 인터뷰하려는 기자들이 줄을 서고 있었다.

"여러분! 저는 아버지의 뒤를 이을 것이고 제가 일본의 대표가 될 것입니다."

기자들의 많은 플래시가 터졌고 너무 빠르게 계획이 실행되어 나는 당황할 수밖에 없었다. 나는 바로 조선으로 가는 배를 타고 이동했고, 이토 나뇬은 혼자서 일본 국민들과 이야기를 해보고 결정되면 말해보겠다고 하였다. 사실 화해도 사람들이 동의를 해야 할 수 있는 것이기 때문에 이토 나뇬의 역할이 굉장히 중요해진다. 다시 돌아와 민두 선생님과 희언이에게로 갔다. 보니까 말이 잘 되어서 희언이가 대표가 된 것 같았다. 모든 것이 계획대로이다. 이제 서로의 대표가 교황이 있는 로마에 모여 한·일·청 세 나라가 화합할 것을 로마교황 앞에서 맹세하여 세계의 신용을 얻고 세계 평화의 기틀을 마련한다면 안중근이 그토록 바라던 생각이 실현되는 것이었다. 이제 이토 나뇬에게 소식이 오기만 하면 된다. 그렇게 소식을 기다리며 나와 희언이와 민두 선생님은 어떻게 대표로 모임을 가질 것이고, 어떤 대화를 해야 하며 어떻게 진행해야 할지 생각하고 있었다. 그렇게 시간이 흘러 편지가 도착했다.

모두 다행히 몇 명 빼고는 내 의견에 동의를 해주었다. 반대하는 의견은 나중에 설득해야 하지만 내 의견에 동의하는 사람이 더 많아서 서로 사과하고 용서하면 계획이 성공할 것 같았다. 우리는 편지를 보자 안도의 한숨을 내쉬었고, 이제 자리를 만들 준비를 시작했다. 먼저 서로 화해할 장소는 세계의 신용을 얻을 수 있는 교황이 살고 있는 로마의 바티칸으로 했으며 위치는 누구나 볼 수 있는 넓은 성 베드로 광장이 내려다보이는 미켈란젤로의 돔으로 선택했다. 그리고 평화의 기틀을 만들 수 있는 날이 다가오기를 기다리며 잠을 청했다.

그렇게 며칠 뒤 이토 나뇬과 일본 기자들, 청나라 학생 대표가 로마의 바티칸에 도착했다. 내가 할 수 있는 일은 이들을 교황이 있는 미켈란젤로의 돔으로 인도하는 것이다. 이제 시작한다.

"안녕하세요. 이토 나뇬입니다. 저희가 지금까지 했던 모든 잘못은 저의 사과로 용서되지 않는 것을 압니다. 하지만 이렇게 가다간 서로 상처만 가득하게 될 거라고 생각합니다. 이 자리를 준비한 것도 용서를 구하기 위해서입니다."

기자들은 카메라 찍기 바빴고 시민들은 연설을 들으러 모여들었다. 연설을 듣는 사람들 중에는 지금까지의 독립운동가들 그중에 만덕 아저씨와 도염 아저씨도 있었고, 덕배 씨와 민두 선생님이 있었다.

"먼저 저희 때문에 가족을 잃거나 소중한 인연을 잃으신 모든 분들께 죄송하다는 말을 하고 싶습니다. 이 죄송하다는 말로는 용서를 받을 수 없겠지만, 하지 않는 것은 더더욱 나쁘다고 생각해 진심으로 사과를 드리고 싶습니다. 다시 한번 죄송합니다. 그리고 교황 앞에서 한·일·청 청소년 대표가 동양평화를 위해 한·일·청 연합 화평회의를 개설하여 화합하고 더 나아가 세계평화에 이바지할 것을 맹세합니다."

이토 나쯘의 말이 끝나자 이어서 희언이가 대답했다.

"안녕하세요. 한국 청소년 대표로 나오게 된 한희언이라고 합니다. 사실 지희가 생각을 많이 했습니다. 그렇게 생각을 해본 결과 이런 관계가 계속 유지되면 결국 서로 상처만 남고 계속 싸우게 되어 희생자만 늘어날 것으로 보아 화해하는 것이 좋다고 생각합니다. 사실 저도 상처를 많이 받았던 사람이지만 서로의 희생이 계속되는 것보다 서로 화해하며 같이 살아가는 것이 좋다고 생각합니다."

"다시 한번 저희 때문에 상처받으신 모든 분들께 진심으로 사과를 드립니다."

서로의 말이 끝나자 희언이와 이토 나쯘은 서로를 마주 보고 악수했다. 이때 선 베드로광장에 모여있던 사람들의 환호성 소리가 들려왔고, 세계 언론에서도 동아시아 미래의 모델이 되는 선구적인 제안으로 대서 특필해 주었다. 나는 이토 나쯘과 희언이에게 고생했다는 말을 하고 내려

왔다. 나는 혼자서 동양평화론을 마저 적기 시작했다.

'토의 일본은 제국주의의 길을 갔었고 평화와는 거리가 멀었으며 안중근의 재판 과정을 숨겼지만, 일본은 자신의 잘못을 진심으로 사과를 했기 때문에 한국은 그 사과를 받아들여 일본과 한국은 화해를 했다. 우리는 청·일과 화합하여 평화를 이루고 더 나아가 세계평화에 기여했다.'

이렇게 (미완성이었던) 동양평화론이 완성되고 실현되었다. 그러자 오랜만에 보는 퀘스트 창이 내 눈앞에 나타났다.

**< 다섯 번째 퀘스트, 동양평화론을 완성하고 실현하시오를 클리어하였습니다! >**

**< 다섯 번째 퀘스트 보상 현실로 돌아갑니다. >**

나는 퀘스트 보상을 보자 내가 그토록 가고 싶던 현실이지만 전혀 가고 싶지 않았다. 그러나 곧 현실로 돌아가면 꼭 하고 싶은 게 생겼다. 안중근에 자세한 내용을 꼭 사람들에게 알려주고 싶었다. 그리고 내가 기억을 잃는다면 나에게 전해주고 싶은 말은…

"이 세상에 나쁜 사람은 없어 다 잘못된 길을 걷고 있을 뿐이지 요안아 너도 그래 안중근을 욕했지만 결국 안중근을 도와 일본과 화해했잖아 길을 고치면 되는 거야. 요안아 어깨 펴고 마지막으로 안중근은 좋은 사람이야 기억해줘!"

"…안!"

"ㅇ, 요안!"

"안요안!!!!!"

"헉…!!"

"헉은 무슨 헉이니? 수업 시간에 그만 졸고, 이번 발표는 요안이가 하도록 하자. 너는 안중근이 어떤 사람이라고 생각해?"

평소에 안중근을 테러리스트라고 욕하고 싫어했다.
그런데 오늘은 아니다.

"안중근은 동양평화를 통해 세계 평화로 나아가기를 바랐던 선구적인 사람이었고, 그것을 이루기 위해 노력했던 사람입니다. 또한 세계 평화와 거리가 먼 제국주의를 사랑한 이토를 멈춰 세운 사람으로 애국심과 온 세계의 사람들을 따뜻하게 품어 모두가 평화롭게 살 수 있는 방법을 제시했던 사람으로 생각하며 주위에 좋은 사람들과 함께 했었기에 그것도 가능했던 것으로 생각합니다. 제가 생각하는 안중근은 세계 평화에 기여한 '영웅'입니다."

# 4 말하고 픈
마음 첫째

# 기억

$CH_4$ 한 점 없는 맑은 날씨에
터벅터벅 걸어가는 그의 뒷모습

목줄은 빨리 오라는 듯 기다리고
자리에 앉아보니 그 무엇보다
$H_2O$가 흐르는 것처럼 평온함

이 자리에 앉아 죽게 되겠지만
이토가 흘린 여러 원소의 피만큼은
절대 후회하지 않으리

나의 죽음은 코앞이나
이토를 죽인 것에 대한 나의 기억은
화학변화가 아닌 물리변화인 것을
똑똑히 기억해 둬라

&lt;기억 시화 작품 설명&gt;

1연은 안중근의 마지막 날씨와 걸어가던 뒷모습을 $CH_4$(메테인) 의성법으로 표현하였다. 2연은 의인법을 사용하여 마지막인 듯 고요하고 평온한 것을 $H_2O$(물)로 표현하였다. 3연은 대유법으로 안중근이 이토를 죽인 피를 여러 원소가 섞인 것으로 표현하였다. 4연은 의태법을 활용하여 이토를 죽인 것은 절대 변하지 않는 것으로 화학변화는 성질이 변하게 되지만 물리변화는 변하지 않으므로 화학변화와 물리변화를 적어 표현했다.

# 진정한 물리변화

윤강은

그는 진정한 성인이구나
원자 배열 교체의 유혹이
너울너울 인사했을 텐데
덤덤히 거부했구나

그는 진정한 성인이구나
물리변화의 첫걸음을
용기있게 받아들였구나

그는 진정한 성인이구나
그들의 유혹에 대한
행복 호르몬이 인사했을 텐데
끝까지 견뎌냈구나

그는 진정한 성인이구나
화학변화를 겪은 친일파들과 달리
아~ 그는 진정한 물리변화구나

<진정한 물리변화 시화 작품 설명>

　1연에서 안중근의 사형 집행 5분 전 사진을 보면서 매우 차분한 것이 보통 일반인들이 죽음을 대하는, 공포에 떠는 자세와 다른 차분한 모습을 성인이라 대유법으로 표현, 흥분 호르몬이 발생한다는 것을 표현하기 위해 인사하는 것을 의인법으로 표현, 흥분 호르몬이 발생하는 것을 표현하기 위해 너울너울 인사한다고 의태법으로 표현하였다. 2연에서 죽음을 용기있게 받아들인 모습을 성인이라 칭하기위해 대유법으로 표현하여 마치 이 상황이 화학변화(근본이 바뀌는 죽음의 세계)의 의미와 비슷하여 적용하였다. 3연에서 일본의 유혹으로 행복한 상상을 계속하게 되었을 텐데 끝까지 뿌리친 모습을 성인이라 대유법을 사용하여서 표현하였다. 4연에서 화학변화와 물리변화의 과학적 의미와 본질의 변화까지 의미한 것을 표현하기 위해 중의법으로 표현

# 그날

갈현아

중력이 무겁게 눌러도
위치에너지는 증가할 수 있어.

위치에너지가 운동에너지로 전환되는 것처럼
독립에 대한 희망도 노력으로 전환될 거야

위치에너지와 운동에너지가 합쳐져
역학적 에너지가 되는 것처럼

독립에 대한 희망과 노력이 합쳐지면
독립이 될 거야.

H를 He로 바꾸는 과정에서
별은 밝게 빛나.

별을 바라보며 희망의 나래를 펼치자

&lt;그날 시화 작품 설명&gt;

1연에서 중력은 일본, 위치에너지는 독립에 대한 희망을 의미한다. 일본이 압박해도 독립에 대한 희망은 그것을 이겨내고 커진다는 것을 표현하였다. 2연은 위치에너지가 운동에너지로 전환되는 것을 독립에 대한 희망이 노력으로 이어진다는 것으로 표현하였다. 3, 4연은 위치에너지와 운동에너지가 합쳐진 것이 역학적 에너지인 것처럼 독립에 대한 희망과 노력이 합쳐지면 곧 독립이 이루어질 것이라는 것을 표현하였다. 5연에서 H는 일제에게 지배당한 우리나라, He는 해방된 우리나라를 의미한다. 별은 독립에 대한 희망을 의미한다. 우리나라를 해방시키는 과정에서 희망도 더 커진다는 것을 표현했다.

# 유언

권지유

나는 안중근입니다.
나는 모든 것을 포기하고 총을 들었습니다

나는 이토 히로부미를 죽였습니다.
나는 일본에게 잡혀 천국으로 가게 됩니다

오늘은 1910년 3월 26일,
나의 사형일입니다

질량보존법칙처럼 사형을 당해도
나의 질량이 변하지 않듯이
나의 의지는 변하지 않을 것입니다

나를 죽일 수 있을지언정
나의 의지까지는 꺾을 수 없을 것입니다
나의 의지는 곧 물리변화입니다

나의 대한민국은 곧 금입니다

<유언 시화 작품 설명>

　3연에서 '나의 의지'가 주변보다 더욱 뜨겁게 타올라 에너지를 주변으로 방출하는 발열반응을 은유법으로 비유했다. '나'를 반복했고 나의 의지가 물리변화라고 함으로써 나의 모양, 촉감, 상태 등은 변할지라도 그 물질이 가진 고유의 성질 나의 의지는 변하지 않을 거라는 걸 나타내고자 은유법을 활용하였다. 4연에서 '나'를 반복했고 나의 대한민국이 금이라고 함으로써 나의 대한민국이 화학적으로 매우 안정되어 다른 물질 또는 일본의 침략에도 무너지지 않을 것을 비유하는 은유법을 사용했다.

# 안중근의 눈물

김태은

안중근은 대한민국을 구한 영웅
화학변화처럼 아버지 안중근은 죄인

안중근은 독립을 위한 영웅
언제 죽을지도 모른 채
살아가는 안중근의 가족

안중근은 세상을 지킨 영웅
가족을 Fe같이 지키지 못한 죄인

$H_2O_2$는 $H_2O$와 $O_2$로 분해
안중근의 희생은 분해되어 눈물과 아픔

안중근은 영웅인가
아버지는 죄인인가

호부견자이구나

<안중근의 눈물 시화 작품 설명>

1연에서 '화학변화처럼 아버지 안중근은 죄인'의 뜻은 안중근이 조국의 독립을 위해 평범한 아버지의 역할을 제대로 못했다는 것을 표현하였음. 2연에서 '언제 죽을지도 모른 채 살아가는 안중근의 가족'은 안중근이 이토를 처단했기에 평생 일본의 감시를 받으며 마음 편히 살지 못했을 가족의 아픔을 표현하고자 했다. 3연에서 안중근이 조국의 독립을 위해 의미있는 일을 했지만 남은 가족은 지키지 못했기에 '죄인'이라고 표현하여 독립운동가들의 아픔을 표현하였다. 4연에서는 과산화수소가 분해된 것을 안중근의 희생이 분해되어 눈물과 아픔을 만들어냈다고 비유하여 강조하였다. 5연에서는 안중근이 영웅인가 죄인인가로 갈등하는 모습을 표현하였다. 6연에서는 시를 안중근 아들의 시점에서 썼기에 독립에 힘썼던 아빠에 일본의 회유에 넘어간 안중근 아들(안준생)의 삶을 비판하는 의미로 호부견자를 사용하였다.

# 꿈

문수호

돌아올 총구를 암시하듯
내 가슴팍에 새겨질 시월의 황혼이 일렁였다

그대들은 일렁였던가

동양평화의 본질을 더럽히지 않을 것
그 근간을 붉걸게 한 이토를 저격할 것

대한의 소망은 화학의 변화와 같아
저들의 야욕을 뿌리째 근절할 것

정의로운 결지가 발열되어
모두의 한 걸음으로 반응함이 독립이니라
우리 꿈이 하나 되어 어찌 아니 생성될 꿈이 있으랴

만손 시대가 변하고 세기가 변한들
꿈과 등지는 사람 어딨으랴

하엄없는 꿈-녹립의 질량이 우리 곁을 떠날소냐

그대들은 들끓었는가

<꿈 시화 작품 설명>

　안중근이 목숨을 바쳐 하얼빈에서 의거하기로 다짐하기까지의 과정을 담아보고 싶었다. 문중 안중근이 독자로 하여금 질문을 함으로써 우리가 다시금 그 질문에 답을 해보는 참여형 시를 작성해 보고 싶었다. 3연에서 모든 국가의 자주성을 인정하는 동양평화론을 어긴 이토와 그 부패한 사상의 근간을 제거하고자 다짐했다. 국가의 독립과 제국주의 타파를 우리 꿈으로 비유했다. 발열반응의 특징을 섞어 독립을 향해 발열반응이 독립으로 한 걸음 나간다고 설명했고, 우리 꿈이 모이고 모여 꿈이 생성됨은 반응물이 결합해 생성물을 이루 듯 꿈이 반응물인 꿈이 모이여 생성물인 독립을 의미한다. 7연에서는 과학 개념은 시대가 변하고 세기가 변해도 독립이란 꿈은 변함없이 일정하다는 것은 원소 간에 일정한 질량비를 가지는 일정 성분비 법칙과 같이 바뀌는 환경에도 일정한 꿈이 불변한다는 의미를 가진다. 8연에서 우리의 꿈-독립의 질량은 화학반응이 일어나더라도 즉 어떠한 상황에 놓이게 되더라도 영원토록 우리 곁을 떠나지 아니함을 질량보존법칙으로 표현하였다.

# 마지막 글

박예솔

내가 죽은 뒤에 화학변화가
일어나 내 시체가 썩거늘
하얼빈 공원에 묻거나
만고풍상 끝에 독립이 되거든
고국으로 데려가 주오

나는 아비규환 같은 곳이 아닌 곳에
우리나라의 회복을 위해 힘쓸 것이다

너희들은 돌아가서 가족들에게
백지장도 맞들면 낫다 하니
각자 공로를 세우고
업을 이루도록 말해 주오

대한 독립 소리가 낙원에 들려오면
나는 춤을 추며 만세를 부를 것이다

<마지막 글 시화 작품 설명>

이 시는 이토를 죽이고 안중근 의사가 사형을 당하기 전에 쓴 유언을 주제로 하고 있다. 1연은 내가 죽으면 하얼빈 공원에 묻으라는 뜻과 고생 끝에 독립이 되면 고국으로 묻어주라는 것을 표현했다. 2연은 안중근 의사가 죽은 뒤 천국에서 우리나라를 위해 도와준다는 것을 표현하였다. 3연은 가족들에게 돌아가 각자 공로를 세우고 업을 이루도록 말해 달라고 부탁하는 것을 표현하였다. 4연은 사후 세계에서 대한 독립 소리가 들리면 안중근 의사는 춤을 추며 만세를 부를 것이라는 유언의 한 문구를 표현하였다.

# 이유

양윤희

수소와 산소가 결합하면 물
이토와 대한제국이 합쳐지면 그건 죽음

반응물이 없으면 생성물이 없는 것처럼
이토가 자극을 주지 않았더라면
죽음은 일어나지 않았을 거야

화학반응식에서는 계수가 안 맞으면
계수를 맞춰줘야 하지만
우리는 더한 피해를 받았지만
이토는 죽음이 끝

안중근은 물리변화가 아닌 화학변화
이토의 15가지 죄에
어떻게 같은 마음과 성질일 수 있겠어

이토는 죽을 수밖에 없었던 거야
안중근과 만백성의 분노와 슬픔이 결합되면
죽음이 될 수밖에 없거든

&lt;이유 시화 작품 설명&gt;

이 시는 안중근이 이토를 죽인 15가지 이유에 대해 그 것은 합법적이고 옳은 이유이며 안중근은 죄가 없다는 것을 말하고자 하였다. 1연은 화학 반응식을 사용하여 표현하면 이토 히로부미의 죄는 반응물이 되고 이토 히로부미의 죽음은 생성물이 된다. 2연은 반응물이 없으면 생성물이 없듯이 이토 히로부미가 우리나라 민족에게 준 자극으로 그의 죽음도 일어난 것이라는 표현을 사용했다. 3연은 화학반응식에서는 원자의 종류와 수가 같게 계수를 맞춰주는데 이러한 원리를 이용해서 우리나라 국민들은 더한 피해를 받았지만, 이토는 죽음이 끝이어서 어찌보면 복수를 다 하지 못해서 계수가 안 맞춰진 억울함을 말하였다. 4연은 안중근이 이토의 죄로 인해 성질이 변했다는 것을 화학변화로 비유하여 표현했다. 5연은 다시 한번 화학반응식으로 비유해서 안중근과 국민들의 분노와 억울함이 반응물이 되고 이토의 죽음이 생성물이 되어 이토는 죽을 수밖에 없었다는 것을 강조했다.

# 부모의 마음

장석운

휜 나무처럼 바뀐
어미보다 먼저 간다고 하였을 때

너의 마음이 나라를 위해 질량보존의 법칙처럼
변하지 않는 것이 이 어미의 마음이다

네가 항소하는 것은
$2H_2 + O_2 \rightarrow 2H_2O$로 무조건 변하는 것처럼

네가 우리 민족에게 무수지수같은
이토를 처단한 것이기에
너가 받는 형은 옳은 일을 한 것이다

바꾸려고 하는 것은
일본에 애걸복걸을 하는 것이다

너에게 마지막으로 주고 싶은 선물로
수의를 주고 싶구나
수의를 지어 보내니 그것을 입고
나중에 보자구나

&lt;부모의 마음 시화 작품 설명&gt;

안중근의 어머니가 안중근이 옥중에 보냈다는 편지의 내용을 바탕으로 과학 개념의 일부를 적용하여 표현하고자 하였다. 허리가 휘는 것을 점점 나이가 들어가는 것을 말하지만 안중근이 독립운동에 가담하였다는 이유로 감옥에 갇혀서 사형을 당할 위기에 처해 부모보다 먼저 가는 것보다 독립이라는 대의에 중점을 두었던 편지의 일부분을 시에 담았다. 2연에서 아들의 마음이 질량보존법칙의 내용처럼 나라를 위한 마음이 변하지 말라는 것을 표현하였다. 무수지수같은 사람에서 모두가 일본에게 벗어나고자 하여 큰 원수를 자신이 대신하여 이토를 대신 쏴서 대한민국의 모든 사람들을 대신하여 쐈기에 안중근은 옳은 일을 한 것이다. 안중근의 어머니 조마리아 여사의 편지로 안중근 의사가 죽기 직전에 마지막으로 받은 수의를 입고 나중에 보자는 것을 알려주고 싶었다.

# 희망을 위하여

정채원

양초가 녹고 촛농이 돼 가는 이 순간
내가 죽거든 나의 뼈를 옮기지 말아요
내가 죽거든 너무 슬퍼하지 말아요

당신의 눈에서 나오는 $H_2O$는 사라져도 남아있으니
눈물이 환하게 미소지으며 나올 수 있도록 기다려요

마침내 우리가 바라는 희망을 맛보고
나의 뼈가 돌아올 수 있도록 해주세요

나무가 $O_2$와 만나 타더라도 질량이 같듯이
내가 불타더라도 나의 마음은 언제나 같으니

바람이 휘잉휘잉 부는 날
악마가 당신을 향해 찾아와도
Fe같은 마음으로 무너지지 말아요

양초가 빛을 내며 다 타고 따뜻해지는 이 순간
내가 죽거든 나의 뼈를 옮기지 말아요
내가 죽거든 너무 슬퍼하지 말아요

<희망을 위하여 시화 작품 설명>

1연은 안중근 의사가 죽고 슬퍼하기보다는 독립을 위해 노력하여 독립을 이루어 내고 환하게 웃으면서 눈물을 흘려달라는 마음을 담았다. 3연은 독립을 희망으로 표현해 독립을 이룬 것을 희망을 맛본다면으로 표현했다. 4연은 나무같이 안중근 의사가 죽고 몸이 불타더라도 안중근 의사의 독립을 향한 마음의 질량을 같다는 것을 표현했다. 5연은 바람이 휘잉휘잉 분다는 의성법을 사용해 바람이 불고 차갑고 험난한 현실의 분위기를 조성했다. 그리고 우리나라에 일본군은 악마와도 같음을 강조하고 있다. 그리고 Fe 같은 마음에서 원소기호 Fe 철로 표현해 과학적 표현을 사용했다. 6연은 다시 첫장면에서 유언을 쓰는 장면으로 돌아가 현재 양초가 타고 있고 나는 살아있지만 곧 죽을 것을 말하면서 첫연과 마지막 연이 비슷한 수미상관을 사용하여 더욱 강조하고 있다. 또한 처음 시작했던 양초가 거의 다 타면서 끝나감을 말하고 있다. 그리고 '지금 독립이 가능할까?'라는 마음이 흔들릴 것 같아서 처음했던 말을 강조하며 마무리 하고 있다.

# 편지

최준혁

Au 같은 빛나는 마음을 가진 그대여
죽음이 그대에게 손을 흔들면
받아들여라

고통을 받더라도 물리변화처럼
따른 마음 먹지 말고 대의를 위해
나아가라

$H_2O$를 억지로 막으면 흘러넘치듯이
언젠가는 우리의 바램이 모이고 모아져
흘러넘쳐 이루어질 것이다

다음 생에는 화학변화를 이룬 나라로
왜의 식민지가 아닌 독립한 고유의
성질이 바뀐 민주적인 나라에서
만나자

&lt;편지 시화 작품 설명&gt;

1연은 금을 원소기호인 Au로 표현하여 금같이 빛나는 마음을 원소기호로 표현하였고, 죽음이 그대에게 손을 흔들면 받아들이라는 것을 의인법으로 표현하였다. 2연은 물질의 고유 성질은 변하지 않는 물리변화를 이용하여 바뀌지 않는 신념을 표현하였다. 3연은 물의 화학식 $H_2O$를 독립운동가로 표현하여 물을 막으면 흘러넘쳐 흐르는 것을 대유법으로 표현하였다. 4연은 물질의 고유 성질이 변하는 화학변화를 이용해 일본의 탄압으로 우리 민족이 일본이 아닌 독립되어 독립된 성질로 바뀐 민주적인 나라로 변한다는 것을 표현하였다. 이 시는 조마리아 여사가 안중근에게 마지막으로 보낸 편지를 보고 말투를 비슷하게 하고 형식을 편지처럼 써 조마리아 여사가 편지에 담은 의미는 비슷하지만 표현을 다르게 해보고 싶어서 쓰게 되었다.

# 조국을 향한 내 마음

홍지은

조국을 향한 내 마음은
질량 보존의 법칙처럼
언제나 같다

우리의 조국을 지키기 위해
농포들과 모였다

물리변화를 일으킨
내 손가락 하나가
동포들의 발열반응을 불러온다

흐르는 피로 대한제국이라 쓰니
우리의 마음이 저 하늘에 닿았기를

나의 조국에 언젠가는 봄이 오기를
그 순간만을 나는
질량 보존 법칙처럼 기다릴 것이다

<조국을 향한 내 마음 시화 작품 설명>

1연은 조국에 대한 마음은 질량보존법칙처럼 변화하지 않을 것임을 강조하였다. 3연은 안중근이 국가를 위해서 목숨을 바치겠다는 서약으로 손가락을 절단하는 상황을 표현하였다. 4연은 단지동맹에 참여했던 안중근과 11명의 독립군 의지가 하늘에 닿아 이루어지기를 소망하는 마음을 표현하였다. 5연은 독립이 되는 조국을 봄으로 비유하며 독립에 대한 마음의 변화가 없이 꾸준하다는 것을 질량 보존 법칙으로 표현하였다.

# 삶의 단 한 가지 의지

유로사

천국에 가서도 독립을 위해 힘쓴다네
생사가 어떻든 그의 마음은 같은 것을 느낀다네

조국의 독립을 항시 생각하라는 말씀
나 또한 우리 삶에 $O_2$처럼
생각할 것이라고 다짐하게 되네

그의 귀에 대한 독립 만세의 소리가 들려올 때
그도 $KNO_3$를 사용해 축하할 것으로 생각되네

그의 의지와 독립을 위한 마음은
언제나 같을 것을 느낀다네

아식 지키지 못한 그의 유언
양초가 타들어가는 것처럼
우리 마음도 같이 타들어가네

<삶의 단 한 가지 의지 시화 작품 설명>

1연에서는 존재 상태(생사)가 어떻든 독립을 위한 마음은 변하지 않는 것을 물리변화라는 과학 개념을 사용해 표현했다. 2연에서는 동포들에게 조국의 독립을 항시 생각하라는 말에 그것을 보고 인간에게 꼭 필요한 물과 산소처럼 생각한다고 느껴서 산소를 원소기호로 표현했다. 4연은 시간이 많이 지나도 안중근 의사의 의지와 독립을 위한 마음이 항상 같을 것으로 느껴 안중근 의사의 마음을 질량 보존 법칙에 빗대어 과학적으로 표현했다. 5연에서는 유언을 쓰실 때 그 옆에 불을 킨 양초가 타들어가는 거와 같이 아직도 약속을 지키지 못해 마음이 타들어가는 것을 발열반응에 빗대어 과학적으로 표현하여 안중근 의사의 독립에 대한 마음과 그 마음에 대해 느껴지는 것들을 과학적으로 표현해 보고자 하였다.

# 내 마음 가짐

이정윤

독립운동가들이
자신이 어떻게 되든지
독립에 대한 마음이
변하지 않았던 것처럼

나 또한
독립운동가들에 대한
존경심도 질량보존법칙처럼
변하지 않으리

우리의 영웅이
일본에게 악감정을
가질 수 있음에도
일본에게 선했던 것처럼

나 또한
오늘 기분이 어떻든
내 주변 사람을
사랑하는 마음으로 대하리

&lt;내 마음 가짐 시 작품 설명&gt;

이 시를 통해서 독립에 참여한 분들의 고통과 주변의
환경에 굴하지 않고 독립에 대한 마음이 변하지 않았던
모습을 화학반응에서 반응 전과 반응 후에 어떤 변화가
있어도 반응 전과 반응 후의 총질량은 변하지 않는 질량
보존법칙으로 표현하고자 하였다.

# 꺼삐딴 이토

정현우

나는 기억합니다
동시대에도
이와 같은 이가 있으니

그자의 눈은 진실을 보되
그지의 미리는 만고역직

들려오는
허무맹랑한 소리

이 마을 전설이
주저리주저리 열리고

독립의 씨앗을 담은 총알
알알이 들어와 박혀
만고의 역적이 쓰러지면

우리 식탁엔
Ag박에 하이얀 종이꽃을
마련해 두렴

<꺼삐딴 이토 시화 작품 설명>

  국어 시간 꺼삐딴 리 작품을 공부하며 우리 사회에서
엘리트로 불리는 지도층에 해당하는 사람들의 기회주의적
이고 모범적이지 못한 모습과 삐뚤어진 심보를 일본에서
엘리트로 추앙받는 이토의 모습과 비유하여 표현해 보고
자 하였다. 하얼빈의 안중근 총알이 독립의 씨앗이 되어
미래에 독립을 담을 수 있는 소중한 은(Ag)박에 독립을
이룬 조국을 하이안 종이꽃으로 비유하여 표현하였다.

# 안중근의 화학변화

판티트

죽음을 맞이하며
우리의 삶을 구하기 위해
목숨을 던진 안중근

동양 평화를 위한
그의 유언은
그의 목숨만큼이나
중시 여겼던 안중근

질량보존법칙처럼
그의 삶도 지켰으면
좋으련만

일본을 깨우치고
조국의 **독립**을
이루어낸 안중근

<안중근의 화학변화 시화 작품 설명>

조국을 위해 안중근의 모든 삶을 희생했던 부분의 아쉬움을 안중근이라는 한 평범한 사람의 인생에서 가족과 아이들에게도 나누어줄 수 있었으면 하는 아쉬움을 질량보존법칙으로 조국의 독립과 안중근 개인의 삶이 적절히 섞여도 독립이라는 총질량에는 변화가 없을 것이라는 내용을 담아 표현하였다.

# 5 말하고 픈
마음 둘째

# 감옥에서 평화

김만석

$H_2O$가 얼어 얼음이 되는
차갑고 추운 2월
감옥에서 보내는 내 남은 여생


아직 끝맺지 못한 동양평화론
붉게 물들지 못한 단풍잎처럼


내 몸이 유리처럼 쨍그랑 깨져도
깨지지 않는 동양 평화의 마음


핫팩이 열을 방출하는 것처럼
방출하는 뜨거운 내 마음


내 몸이 불타는 장작처럼 연소 되어도,
내 몸이 유리처럼 깨지고,
내 몸이 썩어가는 사과처럼 되어도,
변함없는 동양 평화의 마음

<감옥에서 평화 시화 작품 설명>

1연에서 물($H_2O$)가 얼어 얼음이 되는 차갑고 추운 2월을 모양과 상태는 변하더라도 성질은 변하지 않는 물리변화를 바탕으로 적었다. 2연에서 '붉게 물들지 못한 단풍잎처럼'은 어떤 물질이 새로운 성질로 변하는 화학변화를 바탕으로 적었고, 직유법을 사용했다. 3연에서 '내 몸이 유리처럼 쨍그랑 깨져도'는 성질은 불변해도 모양과 상태는 변하는 물리변화를 바탕으로 적었고, 의성법을 사용했다. 4연에서 '핫팩이 열을 방출하는 것처럼 방출하는 뜨거운 내 마음'을 독립의 열을 방출하는 과정의 발열반응을 바탕으로 적었고, 대신하여 비유한다는 의미로 단어나 관념을 직접적으로 드러내지 않고 한 부분을 가지고 전체를 드러내거나 밀접한 관련이 있는 명칭을 빌려오는 방법인 대유법으로 '내 마음'을 '애국심'에 빗대었다. 5연에서는, '내 몸이 불타는 장작처럼 연소되어도'는 어떤 물질이 새로운 성질로 변하는 화학변화, '내 몸이 유리처럼 깨지고'는 성질은 불변해도 모양과 상태는 변하는 물리변화 '내 몸이 썩어가는 사과처럼 되어도,'는 어떤 물질이 새로운 성질로 변하는 화학변화를 바탕으로 적었으며, 직유법을 사용했다.

# 결심

문유빈

우리의 불같은 마음은 말한다
대한독립만세

시간이 지나 우리의 태극기에
모양, 촉감, 상태가 변하여도 우리는 말한다
대한독립만세

시간이 지나 부패된 우리의 손가락은 말한다
대한독립만세

정신을 가다듬으면 바위도 뚫는다는 말처럼
우리는 나아간다
대한독립만세

에너지를 얻기 위한 호흡도 우리를 위해 외친다
대한독립만세

우리가 $O_2$가 되어도
C가 되어도 $CO_2$가 되어도 우리는 외친다
대한독립만세

&lt;결심 시화 작품 설명&gt;

 1연은 불같은 마음이라 표현하여 독립에 대한 의지를 표현하였다. 2연에서는 고유한 성질은 변하지 않으면서 모양과 상태 등이 변하는 물리변화를 태극기로 표현하여 태극기의 모양, 촉감, 상태가 변하는 아픔이 와도 대한 독립만세를 외치겠다는 뜻이 담겨있다. 3연에서는 부패한 손가락도 끝까지 대한 독립 만세를 외칠 것을 표현하였다. 4연에서 정신을 가다듬으면 바위도 뚫는다는 속담을 사용하여 원래의 개념을 드러내지 않고 보조적인 개념을 통해 뜻을 암시하는 풍유법을 사용하여 마음만 먹으면 못할 일이 없다는 것을 표현하였다. 6연에서는 인간이 아닌 원소기호들을 인간으로 빗대어 표현하여 더욱 독립의 간절함을 표현하였다.

# 나라의 본질 변화

최건후

눈물이 Fe Fe흐른다.
나라를 잃은 슬픔에 눈물이 Fe Fe흐른다

나라를 잃어 본질이 완전히 바뀌었다
마치 화학변화처럼

심장의 발열반응으로
온몸을 뜨겁게 데워
나는 보여줄 것이다
우리의 의지를

이 굴레를 끊어 내고자
나는 HCl처럼 위험한 물건을 든다

적의 수장을 쏘아도 적의 태도는 불변할 것이다.
마치 물리변화처럼.

눈물이 Fe Fe 흐른다.
나라를 잃은 기쁨에 눈물이 Fe Fe 흐른다

&lt;나라의 본질 변화 시화 작품 설명&gt;

  1연에서는 조국을 일본에게 빼앗기는 상황으로, 조국을 잃은 슬픔이 너무나 커 무거운 눈물이 흐른다는 것을 표현하였다. 2연에서는 원하지 않는 화학변화를 통해 나라의 본질까지 정말 잃어버렸는가에 대한 아픔을 표현하였다. 3연은 암담한 현실에서도 꺾이지 않는 우리 민족의 굳은 의지를 뜻하고, 조국을 잃은 사실에 너무나 화가 나서 온몸이 뜨겁다는 것을 표현하였다. 4연에서 이토를 암살하려는 안중근 의사의 굳은 의지를 표현하였다. 5연에서는 조국을 대하는 일본의 태도가 변하지 않을 것 같은 불안감을 표현하였다. 6연에서는 운율을 형성하기 위해 수미상관을 사용하였고, 반어법을 사용해 나라를 잃은 슬픔을 강조하였다.

# 마지막 봄

서지율

감옥에 곰팡이가 피어나고 먼지가 흩날리듯
내 마음속에도 조국의 독립을 위하는 마음이
꽃잎처럼 폴폴 흩날리네

어머니께서 보내주신 수의와
먼길을 오느라 번져버린 잉크를 보며
그가 다가오는 게 느껴지네

내가 죽고 내 몸이 부패하는 변화가 일어나도
내 마음은 변하지 않고
오히려 더욱 따뜻해져 가네

내가 그를 따라 먼 길을 떠나듯
나에 대한 마음도 H처럼 가볍게 멀리멀리 떠나보내고
U처럼 무겁게 지니더라도 시간의 파도를 타고
자연스레 잊어버리길

나의 마지막 봄이 나에게 손을 흔드는 것처럼
아직 깊숙이 잠들어 있는 그가
나에게 손을 흔들어줄 날을
그저 묵묵히 기다릴 뿐이네

<마지막 봄 시화 작품 설명>

시의 제목은 안중근 의사의 독립운동가로서의 인생과 그의 마지막 봄을 서술한 시를 담기 위해 마지막 봄이라고 선택했다. 1연은 감옥 벽면에 피던 곰팡이와 흩날리던 먼지를 소재로 폴 폴이라는 표현의 중의법을 이용하여 각각 독립을 원하는 마음이 흩날린다는 느낌과 기운차게 뛰어다니며 독립을 위하는 마음이 타오른다는 두 가지 느낌으로 해석할 수 있도록 표현했다. 2연은 안중근 의사의 어머니가 보내주신 편지와 수의가 오며 죽음이 다가오는 것을 의인법으로 '그'라고 표현했다. 3연에서는 시체는 부패하여 사라져도 마음은 변하지 않고 오히려 따뜻하게 변한다는 것을 과학 개념 질량보존법칙과 발열반응의 개념을 사용하여 작성했다. 4연에서는 '그'라는 죽음을 안중근 의사가 따라가며 남겨진 가족들의 그리운 마음을 가장 가벼운 원소인 수소처럼 날려보내거나 무거운 원소인 우라늄처럼 지니고 있더라도 시간이라는 싸노를 타고 잊어버리길 바라는 마음을 표현했다. 마지막 5연은 안중근 의사가 돌아가신 계절인 봄과 독립을 의인법으로 사용해 사람처럼 표현하며 생생한 느낌을 전달하고자 했다.

# 코레아 우라

서현원

코레아 우라 그 말에는 마음이
흡열반응 같은 마음이

코레아 우라 그 말에는 이름이
화학변화된 음료를 같이 마셨던
7명의 이름이

코레아 우라 그 말에는 시간이
물리변화로 시침과 분침이
오전 9시 30분

코레아 우라 그 말에는 3발이
Pb로 만들어
발사된 3발의 총알이

코레아 우라 그 말에는 지금이
평화롭고 자유로운 지금이

&lt;코레아 우라 시화 작품 설명&gt;

  1연에서는 과학 수업에서 배운 흡열반응을 사용한 손 냉장고처럼 조국이 독립되어 기쁘고 시원한 느낌을 주려고 했다. 2연에서는 '화학변화된 음료를 같이 마셨던 7명의 이름이'라는 문장에서 7명(안중근, 우덕순, 조도선, 유동하, 유승렬, 김성화, 탁공규)의 이름을 기억해 주고 싶어서 표현하였다. 3연은 물리변화로 독립하고자 하는 성질은 변하지 않음을 시침과 분침으로 1909년 10월 26일 오전 9시 30분 안중근이 이토를 처단한 시간을 강조하고자 표현하였다. 4연은 Pb(납)화학식으로 만든 총알을 사용해 3발을 쏴 이토를 처단하는 장면을 적었다. 마지막 5연은 하얼빈에서 안중근의 역사적 결단으로 독립된 조국에서 행복하고 자유로운 삶을 누리고 있음을 표현하였다.

# 1910년 2월 14일

양선진

나 안중근
뤼순 감옥에 끌려가

나 안중근이
이토를 살해한 이유를 말하면
일본인들은 시끄러워진다

나 안중근
뤼순 감옥에서
폭력적인 조사를 받고
사형을 선고받을 걸 생각하면

나 안중근
벌써 응어리 맺힌 $CO_2$가
크게 나온다

나 안중근
죄인이 아닌
동양 평화를 위해 외쳤다

&lt;1910년2월14일 시화 작품 설명&gt;

제목을 1910년 2월 14일로 한 이유는 안중근 의사가 일본의 불공정한 재판을 받아 사형선고를 받은 날짜가 1910년 2월 14일이라 그날을 모두 기억하기를 바라는 마음 때문이었다. 2연에서 '이토를 살해한 이유를 말하면 일본인들은 시끄러워진다'라는 의미는 안중근의 논리적인 답변을 듣는다면 일본은 할 말이 없어 조용해진다를 강하게 표현하기 위해 반어법으로 표현하였다. 4연에서는 안중근이 재판 과정을 통해 일본의 세국주의를 비판하고 동양 평화를 이룰 수 있도록 말할 기회를 얻지 못하는 것에 대한 무거운 책임감을 응어리 맺힌 $CO_2$로 표현하였다.

# 비로소 보이는 것

양승현

촛불이 해 질 녘처럼 점점 지고 있다
나무가 연소해 재가 남는 것처럼

복도에서는 물이 똑똑 떨어진다
증발한 물이 모여 계속 떨어진다

천장 위에 있는 동아줄이 썩어있다
$O_2$와 $Fe$이 만나 $Fe_2O_3$이 된 것처럼

$C$는 비록 빛나지 않지만
점점 강한 의지로 뭉치면
빛나는 다이아몬드로 변할 것이다

3.1 독립운동이
조국에 강한 의지로 과열되자
남은 열기는 다른 재외동포들에게
독립의 불씨로 되었다

<비로소 보이는 것 시화 작품 설명>

1연은 안중근 의사가 앞으로 살아갈 날이 점점 사라지고 있지만 연소한 재로 변해도 독립의 의지만큼 변하지 않는다는 것을 물리변화로 표현했다. 2연은 사형 집행을 위해 안중근 의사가 걸어가는 복도의 상황을 표현하였다. 3연은 일본이 원하는 사형 집행 장소에 동아줄이 썩어 있다고 표현하여 사형 집행의 부당함을 표현하고자 하였다. 4연은 C를 우리의 독립 의지를 표현했고 우리의 독립 의지를 나다내고 있다. 5연은 독립운통 열기들 과열로 표현해 다른 나라에 있는 재외동포들에게도 독립운동의 열기를 널리 알리기를 바라는 마음으로 표현하였다.

# 변하지 않는 것

양유민

그는 백골로 모양이 변했지만
그의 고유 성질
굳은 믿음과 신념은 변하지 않는다
물리변화 한 것처럼

불안정한 나라
쑥쑥 자라나는 불안감 속에
많은 사람들은 자신의 성질마저 완전히 바꾸었다

그들이 독립투쟁의 에너지를 흡수해
한국은 차갑게 가라앉았다
NaCl과 $H_2O$의 만남같이

바로 그때
그가 장작처럼 연소해
그가 방출한 에너지가 전국을 뛰어다니며
독립항쟁에 불을 지폈다

활활 타오르던 그는
가벼운 껍데기만 남겨두고
높이 훨훨 날아갔다
가벼워진 것 같지만 그의 질량은 변하지 않았다

&lt;변하지 않는 것 시화 작품 설명&gt;

1연에서는 은유법을 사용하여 안중근의 굳은 믿음과 신념을 물질의 성질은 변하지 않고 모양과 상태만 변하는 물리변화에 빗대어서 강조했다. 2연에서는 친일파를 성질이 다른 새로운 물질로 변하는 화학변화에 빗대어서 안중근과 대조시켜 안중근의 애국심을 강조했다. 3연에서는 에너지를 흡수하는 흡열반응인 소금과 물의 반응을 친일파에 빗대었다. 안중근과 대조시켜 안중근의 애국심 강조했다. 4연에서는 에너지를 방출하는 발열반응을 이용해 독립항쟁이 거세졌다는 것을 표현했다. 친일파와 대조시켜 독립투사들을 강조했다. 5연은 화학보존 전후에 물질의 총질량이 변하지 않는 질량보존의 법칙을 써서 그가 죽어서 육신만 남기고 하늘로 올라가서 사람의 눈으로 봤을때 그는 가벼워진것처럼 보이지만 하늘로 올라간 그의 마음을 합하면 질량이 보존된다는 것을 표현했다.

# 붉은 꽃

윤현성

하얼빈 기차역
붉은 군대 사열 앞에서
희망의 82번 꼬리표를 달고
날아가는 세 발의 총알
이토 가슴에 붉은 꽃을 피웠네

안중근이 하얼빈에서 쏜 총알 이토의 가슴에 박혀
붉은 Fe가 무언의 메시지를 던지네

그는 결국 $CaO$, $SiO_2$로 뒤덮여 있는
슬픈 작은 방에 갇혔네

그의 어머니는 슬픈 $NaCl$의 눈물
그의 아들을 자랑스러워하네

조선 백성의 독립을 향한 뜨거운 가슴 속에
희망의 총알로 뜨거운 폭발을 일으키네

&lt;붉은 꽃 시화 작품 설명&gt;

시화의 시와 그림에서 안중근이 쏜 총알은 단순한 총알이
아니라 안중근의 독립을 바라는 씨앗이 담긴 납(Pb)이 이
토를 저격하여 독립을 의미하는 붉은 꽃으로 승화되는 것
을 표현하고자 하였다.

# 겁 없는 이

이민서

아, 나는 겁 없는 이요.
나는 거짓말이라는 기체에 용기라는 기체를 더해
속내를 알 수 없는 잔잔한 물결 같은
겁 없는 이가 되련다.

아, 나는 한치 부끄럼 없는 겁 없는 이요.
조국의 독립을 위해 나는 부끄럽지 않소
이 한 몸 바쳐 어떤 고난에도 꺾이지 않는
물리변화가 되련다.

아, 나는 곧 떠날 겁 없는 이 요.
어머니의 말에 따라 떳떳하게
아름다운 자연이 사는 숲으로 돌아가련다.

아아, 언제까지고 기다릴 겁 없는 이요.
마침내 사랑하는 나비를 만나면
마침내 조국의 독립을 본다면
마침내 가벼워진 산소를 깊게 들이마시고,

사랑하는 나비를 반기는, 억센 나무 같은 그이는
한치 부끄럼 없는 얼굴로 활짝 웃으련다

<겁 없는 이 시화 작품 설명>

1연은 독립을 외치기까지의 마음을 표현하였다. 물론 역사 속의 멋있는 인물이지만 결국 안중근도 우리와 다름없는 사람이고 생각할 줄 아는 이이고 그 어떤 사람이라도 죽음을 두려워하지 않고 맞서기는 힘들었을 텐데도 용기내어 독립을 외치기 시작한 안중근의 마음을 표현하였다. 2연은 독립을 외치다 잡혀들어간 시점으로 적었다. 일제강점기 시절 많은 독립 운동가들은 고통을 당하였지만 자신이 독립을 외친 것을 후회하지 않는 진정 존경스러운 모습을 표현하였다. 3연에서는 안중근의 어머니 조마리아 여사의 편지처럼 떳떳하게 죽음을 맞이하는 것을 표현하고 싶었다. 4연은 자연(無)으로 돌아가 사랑하는 나비(전우, 가족, 소중한 이들)을 맞이하기 위해 기다리는 것을 표현함과 동시에 죽어서도 독립이 이루어지길 소망하다 독립이 이루어지면 그제야 편히 쉴 것 같은 안중근을 표현하였다. 5연에서는 억센 나무 같은 여러 고난에도 굴하지 않고 억세게 독립 의지를 지킨 안중근이 4연에 이어 독립이 이루어진다면 언젠가 찾아올 사랑하는 나비(소중한 이)를 반기면서 죽어서도 독립을 외친 것이 전혀 부끄럽지 않다는 굳은 의지와 함께 활짝 웃을 거라는, 긍정적인 분위기로 표현하고자 하였다.

# 편지

이정준

죽을 날까지
얼마 남지 않은 시간들이

어머니에게 받은 구겨진
편지지 안에 있던 내용들이

편지지는 구겨져도 선명한
어머니의 편지로구나

어머니 감옥 안에 있는 것은
제 주위를 도는 $O_2$로
가득 차 있습니다

어머니 제 마음은 끝없이 불타오릅니다.
제 마음속 불이 꺼져 재가 남을 때까지
열심히 살아보고 싶습니다

어머니 만약 저의 불타는 마음이 꺼질 때
어머니 품으로 편안히 돌아가고 싶습니다.

어머니 어머니 보고 싶습니다

<편지 시화 작품 설명>

3연에서는 편지지는 구겨져 모양이 변해도 아들을 사랑하는 어머니의 마음에는 변화가 없음을 물리변화로 표현하고자 하였다. 4연에서는 독립에 대한 의지를 산소로 표현하여 독립을 향한 안중근의 의지가 가득 차 있음을 표현하였다. 5연에서는 발열반응이라는 화학반응의 개념을 사용하여 독립을 위해 불타는 마음을 에너지로 비유하여 불타는 마음이 안중근 의사의 마음속에서 계속 방출하는 것으로 표현하였다. 6연에서는 주위의 열을 흡수하는 흡열반응을 통해 안중근 의사의 불타는 마음이 어머니의 마음속에 서서히 전달됨을 표현하였다. 7연에서는 어머니라는 시이를 빈복하여 안중근 의사가 어머니의 편지를 보고 어머니를 애타게 걱정하는 마음을 강조하여 표현하고자 하였다.

# 조국의 독립

장준하

나 천국으로 사라져 나 없어진대도
마땅히 나는 천국에서도 독립을 위해 힘쓸 것이다

독립은 나의 자유와 모두의 자유
저 훨훨 나는 자유로운 나비처럼
일제에 발버둥치는 나의 조국처럼
우리의 조국은 불타고 밟혀도 영원하리

대한의 독립 소리가 귀에 들려오면
나 또한 하늘에서 소리없는 만세를 크게 외치리

봐라, 나를 지켜보는 군중들아!
나는 우리의 조국을 위해 죽겠다.
조국의 독립을 위해 나 한 몸 바치리

하나의 기체가 용해되듯이
나는 우리나라를 위해 난 뜨겁게 투쟁하리.

식물이 광합성을 하는 것처럼
녹색의 잎이 탄생하듯
한국의 독립도 숨소리처럼
피어나리

<조국의 독립 시화 작품 설명>

1연에서 '사라져 나 없어진대도 마땅히 나는 천국에서도 독립을 위해 힘쓸 것이다.'라는 구문에서 질량보존법칙과 연관지어 죽어서도 독립을 위해 힘쓰는 것은 변화가 없음을 강조하고자 했다. 2연에서는 독립을 향한 마음을 훨훨이라는 의태어를 사용하여 청각적 표현을 강조하였다. 불타고 밟혀도 라는 구문을 사용하여 화학변화와 물리변화를 사용하여 조국이 받은 상처와 아픔을 강조하고자 하였다. 3연에서 소리없는 만세를 외치리 구문에서 역설법을 사용하여 안중근의 독립 이지를 강조시켰다. 6연에서는 식물이 광합성 한다는 표현을 사용하여 흡열반응을 사용하여 안중근이 뿌렸던 독립의 씨앗이 서서히 피어 나간다는 것을 강조하였다.

# 변치 않는 마음

정아랑

바닥이 꽁꽁 얼어 $CaCl_2$로 눈을 녹이는
냉랭한 바람이 맴도는 겨울 속에서

$H_2O$가 얼어 눈이 되는 것처럼
수선화 향기가 방 안에 퍼지는 것처럼

어떠한 상황에서도 변하지 않는
봄을 향한 그의 $Fe$처럼 단단한 마음

그 덕분에 우리가 봄을
맞이할 수 있었는데

그 덕분에 우리가 봄을 통해
평화를 얻을 수 있었는데

그는 언제쯤 봄을 맞이한 곳으로
다시 돌아올 수 있을까

<변치 않는 마음 작품 설명>

시에서 봄은 조국의 광복을 뜻하는 긍정적인 시어이고, 겨울은 일제 강점기 시대 우리 민족의 고난을 뜻하는 부정적 시어로 사용하였다. 1연에서는 '냉랭한 바람이 맴도는 겨울 속에서' 겨울은 사계절 중 겨울의 뜻과 당시 일제 강점기 시대 우리 민족의 고난을 뜻하고 있어 조국의 광복으로 표현한 '봄'과 대조시켜 봄을 더 강조하기 위해 표현하였다. 3연에서는 안중근 의사의 최후 유언 중에 '나는 천국에 가서도 또한 마땅히 우리나라의 회복을 위해 힘쓸 것이다'라는 내용을 바탕으로 안중근 의사가 살아서도 조국의 광복을 위해 힘썼는데, 살아있지 않고 죽어서도 여전히 조국의 광복을 위해 힘쓰려는 안중근 의사의 마음이 화학반응이 일어날 때 반응물의 총 질량과 생성물의 총질량이 같은 질량 보존법칙의 의미와 비슷하여 조국의 광복을 봄에 빗대어 봄에 질량 보존법칙의 의미를 적용하였다. '봄을 향한 그의 Fe처럼 단단한 마음'에서 조국의 독립을 위한 그의 단단한 마음을 더 강조하고 싶어 철을 화학 원소를 나타내는 기호인 원소기호로 나타내었고, 'Fe처럼'에서 '-처럼'이라고 어떤 사물을 다른 사물에 직접적으로 빗대어 나타내는 표현법인 직유법을 사용하여 조국의 광복을 향한 그의 마음이 철처럼 단단하다는 것을 표현하였다. 6연에서는 안중근 의사 덕분에 우리의 땅을 이렇게 지킬 수 있었는데 '내가 죽은 뒤에 나의 뼈를 하얼빈 공원 곁에 묻어 두었다가 우리 국권이 회복되거든 고국으로 옮겨다오'라는 말을 남긴 안중근 의사의 뼈는 현재까지도 여전히 그가 지켜낸 조국인 대한민국으로 돌아오지 못한 것을 뜻한다.

# 편안한 공기

채시형

F시 Ca분 기차가 오네
사람이 너무 많아 숨쉬기가 힘들어
이토를 쏜 순간 주변 공기가 $CO_2$로

어머니가 건네준 새하얀 신발
내 마음은 푸른 $H_2O$ 같아

내 마음 같은 Fe이 조국을
한 치 앞만이라도 풀어 줬으면
정말 자유로워질 것 같아

어머니 모습이 보이는 신발
그 순간 촉촉해진 눈

하얼빈 공원 옆 편안한
$O_2$가 있는 곳

100년이 지난다 해도
내 마음의 총알이 녹슬어도
조국을 향한 내 마음 변치 않으리

&lt;편안한 공기 시화 작품 설명&gt;

1연에서는 F와 Ca의 원자번호로 숫자를 대신했고, 긴박했던 순간을 무거운 $CO_2$를 사용하여 표현하였다. 3연에서는 조국에 대한 안중근의 마음을 단단한 철로 표현 하고 싶어서 철의 원소기호(Fe)로 표현했다. 4연에서는 신발이라는 사물에 빗대어 안중근을 생각하는 어머니의 마음을 표현하고자 했다. 6연에서는 세월이 지나면 총알도 녹이 생겨서 원자의 배열이 바뀌어 새로운 물질이 되는 화학변화가 주변에서 일어나더라도 조국의 독립을 향한 안중근의 마음에는 변화가 없음을 즉, 화학변화가 아님을 표현하고자 하였다.

# 눈으로 보는 마지막 순간

이은서

무서운 속도로 달려간 총알을
그가 맞고 쓰러져도
결코 어두운 마음은 들지 않을 것이고

내가 종이를 찢는 것보다
그의 피가 흠뻑 묻어 찢기는 편이
더 사치스러운 기쁨과 희열

하지만 내 조국을 외치는,
나와는 상관없을 사람이 잡혀 들어가면
나는 슬픔에 눈물을 흘릴 것이고

종이가 타버려 재가 될 때처럼
그의 몸의 형태를 다시는 보지 못할 때
나는 거기서 무너져버릴 것이다

하지만 그가 안 보여도
그가 죽기 전에 당당한 모습은
질량보존법칙일 것이라

우리의 조국은 뜨거워질 것이고
그럴 때마다 우리가 원하는 길에
계속 가까워질 것이다

&lt;눈으로 보는 마지막 순간 시화 작품 설명&gt;

5연에서는 안중근의 육체가 사라지고 영혼만 남았을 때도 질량보존법칙에 따라 반응 전과 후의 총질량은 변화가 없기에 그의 신념은 죽어서도 영원히 그대로일 깃이라는 걸 표현하고자 하였다. 6연에서는 안중근의 죽음으로 우리의 조국에 대한 독립의 의지가 뜨거워지고 그 의지가 결국 광복에 다가감을 표현하고자 하였다.

# 그곳

최수아

우리의 그날이 돌아와
꽃이 피고 나무에서 나뭇잎 나는 그 순간

누구도 알지 못하게 사라져도
나 그렇게 사라져도 한이 없다

하늘에서 $H_2O$가 내리는 지금
그 어느 때보다도
푸른 하늘 오는 그날을 기다릴 것이다

그리운 그 하늘이 돌아오면
땅의 품으로 바다의 품으로 돌아가리

내게서 나온 $CO_2$가
바람에 실려서 가는 그곳이
내가 가장 돌아가고 싶은 곳이다

내 뼈가 이곳에 있어도
내 $CO_2$만큼은 그리운 그곳으로 갈 것이다

내 이곳에 남아도
언젠가는 올 그때를 기다리고
반드시 그곳으로 돌아갈 것이다

<그곳 시화 작품 설명>

3연에서 푸른 하늘은 독립된 조국을 의미하고, 하늘의 비
($H_2O$)가 내리는 부분은 정해지지 않았으므로 바다나 땅에
도 내릴 수 있다. 그리고 지상의 물이 증발하고 구름으로
만들어져 다시 비가 되는 과정을 통해 언젠가 우리에게
독립이 올 수 있다는 것을 땅의 물도 바다와 비슷한 과정
을 겪어서 독립이 될 수 있음을 표현하였다. 5연에서 죽
은 안중근이 살아있는 사람의 날숨에서 나오는 $CO_2$가 자
신의 조국에 닿았다면 좋겠다는 마음이 아무리 뼈가 중국
에 있어도 자신의 날숨 $CO_2$ 하나만은 자신의 조국에 돌
려보내고 싶은 마음을 표현하였다.

# 6 말하고 픈
마음 셋째

# 효도

정서윤

아들아 장한 나의 아들 도마야

조국을 위해 싸우다
상처를 입은 너의 몸에
어떤 유혹이 있어도
너의 마음은 물리변화여야 한다

당당히 맞서라
너의 죽음은
우리에게 발열반응이 되어
조국의 빼앗긴 빛을 가져다 줄 것이다

아들아 장한 나의 아들 도마야

기억하라 너의 죽음은
한 사람의 것이 아니라 조선 전체이고
조선의 화학식을 만들어 줬다

아들아 장한 나의 아들 도마야

너가 늙은 어미보다 먼저 별이 된 것을
불효라 생각하지 말아라
그것이 효도이니라

&lt;효도 시화 작품 설명&gt;

효도라는 시는 안중근 의사의 어머니 조마리아 여사가 보낸 편지를 참고하고, 과학 개념과 연결하여 변형한 것이다. '아들아 장한 나의 아들 도마야'를 1연, 4연, 6연에 넣어서 아들이 조국을 위해 일본의 유혹에 흔들리지 않고, 당당해지기를 바라는 어머니의 강한 모습 뒤에 아들을 보내야만 하는 어머니의 아픈 마음을 강조하기 위해 반복적으로 표현하였다. 2연에서는 모양은 변하지만 성질은 변하지 않는 물리변화를 통해 어떤 외부의 변화에도 조국을 위한 안중근의 마음은 변치 않기를 바라는 마음을 표현하고자 하였다. 3연에서는 발열반응을 통해 독립을 향한 열기가 널리 퍼지기를 바라는 마음을 담았다.

# 그를 기다린다

김동호

내가 화학 반응하여 이 세상에서
사라져 버릴 때

나는 나의 소원을 이룬 곳에서
그를 기다릴 것이다.

그가 온다면 그와 함께
고향으로 돌아가고 싶다.

하늘에 있어도
그를 기다릴 것이다.

일본의 강압에도 질량의 보존
법칙처럼 변하지 말고
우리나라를 지키거라

그가 왔다는 소리가
천국에 도착하거든
나는 춤을 추고 만세를 부를 것이다.

<그를 기다린다 시화 작품 설명>

1연은 '화학 반응하여 이 세상에서 사라져'에서 안중근 의사의 죽음을 화학변화로 비유법을 활용해서 표현했다. 5연은 일본의 강압에도 질량보존 법칙처럼 안중근 의사의 의지가 변하지 않기를 바라는 마음을 담아 직유법으로 표현하였다.

# 찾고 싶어도 찾을 수 없는 것

김예진

붉게 흐른 피로
단지동맹을 이룬
열두 명의 영웅들

이름도 성도 제각각인
12종류 원소가 결합하여
하나의 결의를 다지는

우리가 찾고 싶은 것 속에는
대한 독립의 태극기
영웅의 혼이 묻어있는
기름종이에 싼 손마디
그리고 도낏자루와 권총

이젠 이북 땅에 묻혀
찾고 싶어도 찾을 수 없는
항아리를 질량보존법칙처럼
품어본다

<찾고 싶어도 찾을 수 없는 것 시화 작품 설명>

2연에서 '이름도 성도 제각각인 12종류의 원소가 결합하여'라는 내용에 화합물 정의인 두 종류 이상의 원소가 결합하여 하나의 결의라는 화합물을 만들어 내는 내용으로 비유하여 표현하였다. 3연에서 우리가 찾고 싶은 것은 항아리를 뜻하는 은유법을 사용했다. 5연에서 찾고 싶어도 찾을 수 없는 항아리는 의태법이고, 질량보존법칙의 개념을 사용해 시에서 우리가 항아리를 되찾고 싶은 마음은 반응 전후에 물질의 총질량이 변하지 않는 것과 같다.라는 내용을 표현하기 위해서 사용했다.

# 죄인 혹은 영웅

김상혁

죄인이라 욕하지 말아라
아무리 비난하여도
물리변화처럼 조국을 위한
마음은 변하지 않으니

죄인이라 욕하지 말아라
살인죄로 재판을 받아도
질량보존법칙처럼 일편단심
조국을 위한 마음을 비난할 자격이 있느냐

죄인이라 욕하지 말아라
명성황후를 시해한 미우라는 무죄
조국을 위한 안중근은 사형

영웅이라 찬양하지 말아라
대한 제국에게 수많은 원소처럼
많은 짓을 한 일본은
영웅이라 칭할 수 있는가

<죄인 혹은 영웅 시화 작품 설명>

안중근 의사는 우리나라에서는 영웅이지만 일본에서는 극악무도의 테러범으로 인식되고 있다는 소리를 듣고 일본인들에게 안중근 의사의 진정한 의도를 알리기 위해 표현하였다. 1연은 "물리변화처럼 조국을 위한 마음은 변하지 않으니" 성질이 변하지 않는 물리변화처럼 조국을 위한 마음이 변하지 않았다는 직유법을 사용하였다. 물질 고유의 성질은 변하지 않으면서 모양이나 상태가 변하는 물리변화를 이용해 살인을 저질렀어도 안중근의 조국을 위한 마음을 변하지 않는다는 것을 표현했다. 2연은 "질량보존법칙처럼 일편단심 조국을 위한 마음을 비난할 자격이 있느냐" 화학반응이 일어나도 반응 전과 후의 총질량이 바뀌지 않는 것처럼 조국을 위한 마음이 일편단심 같다고 직유법을 사용하였다. 4연은 일본이 대한 제국에게 나쁜 짓을 많이 했다는 것을 세상에 존재하는 원소의 종류만큼 많다고 표현하였다. 많은 원소처럼 많은 짓을 했다는 것을 표현했다.

# 한 사람의 삶

김준희

질량이 변하면
에너지가 발생하고
에너지가 변하면
질량이 감소한다

그런 이치에서
생명도 만들어진다

안중근 의사는 죽음을 맞이하며
한 사람의 삶을 구하기 위해 목숨을 바친다
그의 유언은 그의 목숨만큼이나
가치 있는 것이다

질량보존법칙처럼 삶도 지키려면
무엇이 소중한지 알아야 한다

흩날리는 나뭇잎과 바람

<한 사람의 삶 시화 작품 설명>

과학 시화에 담긴 그림의 총알에는 두 가지의 의미를 담았다. 이 총알을 그린 의미는 총알이 한발씩 나갈 때마다 한 사람의 삶도 지워진다는 의미와 그 총알은 또한 안중근 의사가 한 사람의 삶을 구할 때 날아 온다는 총알을 표현하고자 했다.

# 한 청년의 꿈

김해강

1909년 10월 26일 오전 9시
하얼빈역에서 Fe로 만들어진 기차를
기다리는 한 청년

악마의 얼굴을 감추고
겉으로만 친절한 모습의 노신사

희망을 품은 우리의 청년

노신사의 욕심이 커질수록
꿈도 커져가는 한 청년

부들부들 떨리는 손으로
총을 쏘는 한 청년

한 청년이 쏜 총알이
꿈이 된다

<한 청년의 꿈 시화 작품 설명>

1연은 철을 원소기호 Fe로 표현했고, 안중근을 대유법으로 한 청년이라고 표현했다. 2연에서 노신사는 일본을 의미하고 악마의 얼굴은 일본의 속마음을 의미한다. 일본이 겉모습만 바꾸고 속마음은 그대로인 게 모양만 변하고 성질은 그대로인 물리변화와 의미가 일치해서 사용했다. 3연은 독립하고 싶은 마음을 환유법으로 희망이라고 표현했다. 4연에서는 꿈은 제유법으로 독립의 일부분을 말하며, 화학반응식에서 좌변의 계수가 커지면 우변의 계수도 커지는 걸 욕심이 커질수록 꿈도 커진다고 표현했다. 5연에서는 손이 부들부들 떨린다고 표현하는 의성법을 사용했다. 6연에서 한 청년은 환칭법으로 안중근을 의미하고, 성질이 변하는 화학변화를 총알이 꿈이 되는 걸로 표현했다.

# 나는 죄인인가

윤진우

다른 사람들이 죄인이라 해도
조국을 위한 마음은 물리변화처럼 변치 않으니
나를 죄인이라 욕하지 마라

나처럼 조국을 위해 헌신한 적이 있느냐
조국을 위해 목숨을 바칠 수 있는 사람만
나에게 욕 해라

화학반응이 일어난 것처럼
이토의 욕심과 너의 욕이 결합해
날 죄인으로 만들지 마라

질량보존법칙처럼 어떤 협박에도
조국을 사랑하는 마음의 무게는
변하지 않는다

날 죄인이라 욕해도
조국을 위해 죽은 나를
영웅이라 불러줄 수 없겠니

<나는 죄인인가 시 작품 설명>

1연에서 안중근의 조국을 위한 마음은 물리변화처럼 모양이나 상태가 변해도 그 본질은 변하지 않음에 착안하여 안중근의 조국을 위한 마음과 물리변화를 동일시하여 표현하였다. 4연에서 어떤 화학반응에서도 반응 전과 반응 후 전체 질량은 변화가 없다는 질량보존법칙의 개념을 통해 일본의 어떤 협박에도 조국을 사랑하는 안중근 마음의 무게가 변치 않음을 표현하였다.

# 나의 하나뿐인 원자야

이나현

네 몸에 총알이 파고드는 건
물리변화이니 걱정하지 마라

Fe처럼 단단하고 굳게
다짐하고 나아가거라

원자가 사라지지 않는 것처럼
너도 내 마음속에 항상 남아 있을 거다

흡열반응처럼
모두를 너의 안에 담아
한 마음으로 나서라

발열반응처럼
너의 열정을 모두에게 방출해라

비록 분자의 목숨을 짊어지게 된
나의 하나뿐인 원자야 사랑한다

<나의 하나뿐인 원자야 시화 작품 설명>

　과학 시화에 표현된 하트 그림은 어머니가 아들에게 안중근이라는 큰 하트를 향한 우리 조국을 사랑하는 사람들의 마음을 담아 안중근은 혼자가 아닌 모든 사람이 함께함을 말하고자 표현하였다. 3연과 4연에서 주위의 열을 흡수하여 일어나는 화학반응인 흡열반응처럼 주위의 열들을 모두 흡수하여 한마음으로 나아가라는 뜻이고 발열반응은 열을 방출하면서 나타나는 화학반응을 나타냈다. 결국 흡열반응으로 얻은 열을 발열반응으로 방출하라는 뜻을 함축하고 있다. 6연에서 분자의 목숨을 짊어지게 된 나의 하나뿐인 원자라는 말은 분자가 여러 원자가 모여 이루어졌듯이 여러 명의 목숨을 짊어지게 된 나의 하나뿐인 아들 안중근의 어깨가 무겁고 그런 아들을 어머니로서 사랑한다는 뜻을 담고 있다.

# 맹세

최민아

오늘 나는 맹세를 지킨다
나를 이루고 있는 원자들이 떨리는 기분
성공할 것인가 성공하지 않을 것인가
발에 족쇄를 찬 것처럼 발걸음이 무겁다

귓가에 맴도는 숨소리
내가 이토를 쏘는 것은 그저 물리변화
세상은 언젠가 그 본질이 바뀌어
화학변화가 일어날 것이라고 믿는다

내가 지금 떠는 이유는
근육들이 떨리는 발열반응 때문일까
아니면 이 순간 맹세를 지킨다는 생각 때문일까

내가 사라져도 세상은
질량보존법칙이 성립하겠지
머리가 백지처럼 하얘진다

이 순간
내 얼굴을 거칠게 쓰다듬는 $O_2$들까지 느껴진다
나의 앞에 서는 이토를 향해
광복을 당긴다

<맹세 시화 작품 설명>

1연에서 '나'를 이루고 있는 모든 원자들의 떨림이 느껴질 정도로 긴장된다는 뜻을 표현하였다. 2연에서 물질의 화학적 성질 변화 없이 물질의 형태 및 상태가 바뀌는 현상인 물리변화를 이용해 은유법으로 표현하였고, 안중근이 이토를 쏴서 세상이 변하는 게 처음의 상태와 전혀 다른 화학적 성질을 갖는 물질로 변하는 화학변화와 같을 것이라고 믿는 것을 표현했다. 4연에서 '내'가 사라져도 내가 세상을 위해 이토를 쏜 기록이 남아있고 곁에서 조국의 광복을 지켜볼 것이라는 뜻을 반응 전 물질의 총질량과 반응 후 생성된 물질의 총질량은 같다는 질량보존법칙을 이용해 표현하였다. 5연에서 공기 중에 산소가 얼굴에 스쳐가는게 느낄 정도로 긴장된다는 뜻을 담았고, 방아쇠를 광복으로 비유해 '방아쇠를 당겨 이토를 쏘면 광복을 당겨서 광복의 날이 점점 더 다가온다'라는 것을 표현하였다.

# 민족의 소리

위국현

내 추억의 아름다움은
일본의 화학변화로
고향을 잃었구나

고향을 잃어도
일본에 대한 나의 마음은
물리변화니 한번 먹은 마음
변하지 않는구나

민족의 고통 소리가
$CO_2$를 통해 나의 귀에 들리니

내 마음이 다시 한번
굳건해지는구나

민족의 소리와 내 마음이
발열 반응하여
나의 방아쇠가 당겨지는구나

<민족의 소리 시 작품 설명>

1연에서 원하지 않지만 일제의 강탈로 대한제국의 근본까지 잃은 것인가를 표현하기 위해 물질이 화학반응을 하여 성질이 다른 새로운 물질로 변하는 화학변화로 표현하였고 고향은 조국을 의미한다. 2연에서 고향을 잃어도 고향을 향하는 마음은 변하지 않는다는 것을 상태는 변하지만 물질의 고유한 성질은 변하지 않는 물리변화로 표현하였다. 3연에서 고향을 잃은 사람들의 한숨에서 무거움을 표현하기 위해 이산화탄소 $CO_2$로 표현하였다. 5연에서 이토의 제국주의를 막기 위한 나의 염원을 발열반응으로 표현하였다.

# 불을 지펴라

조수오

우리 민족을 건드린
그에게 화가 치밀어 오른다

우리를 억압하는 것은
화학반응이 일어난 것처럼
그에 대한 분노의 생성물을 만든다

때가 되었다.
호수 같은 내 마음이 넘친다

누가 내 마음에
붉은 잉크를 떨어뜨렸나
물리변화가 진행된다

때가 되었다
나라의 원수를 향해
한 번 더 한 번 더 세 번을

그의 죽음과 우리의 해방이
결합하여 화합물인 평화를 낳았으니
국민이 웃고 함성이 웃는다

발열반응으로
사랑하는 마음에 불을 지펴라

<불을 지펴라 시화 작품 설명>

1연에서 '우리 민족을 건든 그에게 화가 치밀어 오른다'라
며 결과로써 원인을 같이 나타내어 환유법을 사용했다. 2
연에서 우리를 억압하는 것이 화학반응이 일어난 것처
럼...이라고 하며 ~처럼 이라는 단어로 비유법을 사용하
였고, 일본의 점령과 이토가 저지른 죄가 결합되어 분노
와 고통이 생겨났다는 것이 화학반응이 일어난 것과 비슷
해서 화학반응이라는 개념으로 표현하였다. 3연에서는
나의 넓은 마음을 표현하기 위해 호수같은.. 이라고 하며
직유법을 사용했다. 4연에서 마음에 붉은 잉크가 떨어져
서 퍼지는게 물리변화의 의미와 비슷해서 사용했다. 6연
에서 '함성이 웃는다.'라는 표현으로 사람이 아닌 것을 사
람처럼 표현하는 의인법을 사용하였고, 이토가 죽은 것과
해방이 합쳐져서 대한민국에 평화가 왔다는 것을 화합물
의 생성으로 비유하여 표현하였다. 7연에서 마음에 불을
지핀다는 표현으로 상징을 표현하였고, 우리의 마음이 더
돈독해지는 것을 표현하기 위해 발열반응이라는 과학개념
을 사용하였다.

# 우리의 의지는 질량보존법칙

조영재

이토를 처단한 이유
질량 보존 법칙이 성립하는 것처럼
인과응보인 것이다

우리의 혼이 담긴 교과서는
불타 없어셨지만
질량 보존 법칙이 성립하는 것처럼
조국의 독립을 향한 의지는 꺾이지 않을 것이다

철도 광산 산림 등을 빼앗은 죄
당신들이 아무리 용서한다 해도
질량보존 법칙이 성립하는 것처럼
당신들 죄의 무게는 변하지 않을 것이다

우리의 의지를 흡열반응처럼
빨아들인다 해도
우리의 의시는 계속 발열반능처럼
널리 널리 방출할 것이다

<우리의 의지는 질량보존법칙 시 작품 설명>

1연은 화학변화를 이용해서 책이 불타는 것을 표현하며 은유법을 사용하여 'A는 B이다'처럼 연결어 없이 나타내었다. 2연은 화학변화가 일어나도 반응 전과 반응 후의 전체 질량이 변하지 않는 질량보존법칙을 사용하였다. 그리고 교과서를 우리라는 사람에 비유해서 나타내는 의인법을 사용하였다. 3연은 질량보존법칙을 사용하여 우리의 마음은 변하지 않음을 표현하였다.

# 만남이 있는 이별

김태림

자랑스러운 원자야
일본과 한국이 반응해
화학변화로 봄을 잃었구나

화학변화 속에서도 변화가 일어나듯
봄을 기다리며 소신을 잃지 말거라

봄을 되찾는 우리들의 마음이
발열반응을 하여 봄에게 닿아가니
희망을 놓지 말자

물질 변화처럼
한번 먹은 마음
구걸하지 말고
떳떳하게 가거라

자랑스러운 원자야
다음 생엔 부디
**봄을** 찾은 그곳에서
다 함께 뛰어놀자

<만남이 있는 이별 시화 작품 설명>

시화에 표현된 구름의 종류는 적운형이다. 적운형 그림의 특징은 햇빛에 비친 부분은 하얗게 빛나며, 구름 밑면은 어둡고 편평하다. 이 모습을 통해 조마리아 여사는 조국을 위한 아들을 둔 어머니로는 강인해 보이는 점이 하얗게 빛나는 적운형과 닮았다. 하지만 조마리아 여사를 일반적인 어머니로 보면 아들을 잃은 슬픔과 일본에 대한 분한 마음들이 적운형의 햇빛을 받지 않은 무거운 모습과 닮았다고 생각해서 표현하였고, 시의 내용도 그러한 부분을 담아서 표현하고자 했다.

# 7 말하고 픈
마음 넷째

# 독립은 과학

김윤주

어두운 밤 저 달의 속삭임
독립을 향한 내 마음은
이 밤처럼 더 진해지는 뤼순 감옥

발열반응처럼 독립을 향한 열을 방출하니,
독립온도가 높아지는 뤼순 감옥

화합물 생성에 일정한 질량비가 있는 것처럼
일정한 고통이 흐르고 있는 뤼순 감옥

물질을 구성하는 원자의 배열만 변할 뿐
원자의 종류는 변하지 않는 질량 보존의 법칙처럼

많은 것이 변해도 독립을 향한 내 마음은
변하지 않는 조국 사랑 보존 법칙의 뤼순 감옥

독립은 과학이다.
언젠가 과학이라는
명확한 사실처럼 일본의 잘못이
명확히 드러날 것이라고
나는 뤼순 감옥에서 말해본다.

&lt;독립은 과학 시화 작품 설명&gt;

　독립과 과학의 공통점을 통해 시를 표현하고자 하여 제목을 '독립은 과학'이라고 지었다. 시에서 '~것처럼', '~는 뤼순감옥'을 반복하여 운율감을 주도록 하였다. 2연에서는 독립온도가 높아지는 뤼순감옥이란 표현을 통해 독립의 열에너지가 방출함을 발열반응으로 비유했다. 3연에서 일정한 고통이 흐르고 있는 뤼순감옥이라는 말을 통해 어떤 변화에서 일정한 비율로 반응하는 일정 성분비 법칙과 비유했다. 5연에서 독립을 향한 내 마음이라는 말을 사용해 시 질량 보존 법칙과 비유하여 원사의 배열만 변할 뿐, 원자의 종류는 변하지 않는 질량 보존의 법칙을 통해 독립을 향한 나의 마음은 변화가 없음을 표현하고자 했다.

# 일정 독립비 법칙

구주현

우리는 독립을 향한
투지를 표현하기 위해
감내한 약지의 아픔

우리는 독립을 위해서
모든 것을 다 할 수 있다

손가락을 자른 것이 아닌
친일파들을 제거한 것이라고
생각하면

일정성분비법칙이
항상 변함없듯이

독립을 향한 우리의 마음도
항상 똑같을 것이다

&lt;일정 독립비 법칙 시화 작품 설명&gt;

　일정 성분비 법칙에서 화학반응 시 항상 비가 일정한 깃처림 주변의 상황이 변해노 독립을 향한 안숭근의 마음도 일정하다는 것을 나타내기 위해 일정 성분비 법칙에서 일정 독립비 법칙으로 나타냈다.

# 질량보존법칙을 뜻하는 독립운동

고도희

이온으로 이루어진 물질같이
마음을 같이 하고
힘을 합해다오

물리변화처럼
그 마음 변하지 말고
나라를 위해 책임지어다오

질량보존법칙처럼
우리 변하지 말고
보존되는 마음을 보여다오

기체 사이의 부피 비처럼
일정한 마음으로
동포들이 독립을 이루어다오

&lt;질량보존법칙을 뜻하는 독립운동 시화 작품 설명&gt;

화학반응 시 반응 전과 반응 후의 총질량은 변하지 않고
보존되는 것이 독립운동가들의 독립을 향한 마음과 비슷
해서 제목을 '질량보존법칙을 뜻하는 독립운동'이라고 정
했다. 1연에서 이온으로 이루어진 물질은 서로를 둘러싸
고 있는데 그게 독립을 위해 함께 싸우는 독립운동가 같
아서 이온으로 이루어진 물질을 넣었다. 2연에서 물리변
화는 상태는 변해도 성질이 변하지 않는 현상인데 동료들
의 독립을 향해 변하지 않는 마음에 비유했다. 3연에서는
안중근과 동포들의 변하지 않는 마음이 질량이 변하지 않
고 보존되는 질량보존법칙과 비슷하여 질량보존법칙을 사
용했다.

# 꽃

전지후

중근은 꽃을 꺾어 맹세했다
그 꽃은 썩어 화학 변화할지라도
중근의 마음은 물리변화처럼 변하지 않으리

중근은 꽃을 꺾어 맹세했다
그의 꽃은 언젠가 화학변화 하지만
중근의 마음은 질량보존의 법칙처럼 변하지 않으리

중근은 꽃을 꺾어 맹세했다
그는 죽어도
중근의 마음은 무궁화처럼 변하지 않으리

중근은 꽃을 꺾어 맹세했다
그는 죽어도
그의 마음은 영원히 발열 반응하리

중근은 꽃을 꺾어 맹세했다
그 꽃은 썩어 화학변화 할지라도
중근의 마음은 물리변화처럼 변하지 않으리

<꽃 시화 작품 설명>

안중근이 자른 손가락을 꽃에 비유하여 표현하였다. 1연에서 안중근의 독립을 향한 의지를 손가락을 잘라 단지동맹 한 것을 독립의 마음을 담은 꽃을 꺾어 맹세했다고 비유법으로 표현했다. 꽃이 썩는 것을 화학변화, 안중근의 독립을 향한 마음이 변하지 않고 똑같다는 것을 물리변화로 표현했다. 2연에서 안중근의 변하지 않는 마음을 질량보존의 법칙으로 표현했다. 4연에서 안중근의 독립을 향한 마음이 타오른다는 것을 발열반응으로 표현했다.

# 과학이 나를 바라본다면

김보현

과학이 동의단지회를 바라본다면
동의단지회를 화학식으로 바라보지 않을까
여러 사람이 모여서 만들어졌으니까

과학이 나를 바라본다면
나를 산소로 보지 않을까

철이 독립운동을 한다면
과연 독립이 이루어질까

독립이 우리의 독립을 위한 열심을
흡열반응하면 얼마나 좋을까

산소와 철이 결합하면
산화철이 되어 독립에 조금 더 가까워질까

독립운동가들과 내가 모이면
새로운 의미있는 단체가 되니까

과학이 나를 바라본다면
어떤 의미있는 물질일까

<과학이 나를 바라본다면 시화 작품 설명>

나는 안중근인데 동의단지회의 모든 것은 안중근에게 얽혀 있으므로 안중근은 동의단지회다. 동의단지회를 과학으로 바꿀 수 있듯이 의인법과 활유법으로 무생물을 사람인 것처럼 표현하여 과학의 시점으로 표현하고자 하였다. 1연에서는 동의단지회를 여러 가지가 합쳐져 있는 화학식인 것처럼 표현하였다. 3연에서는 철이 독립운동을 하는 것은 독립운동가들이 독립운동을 하는 것으로 표현하여 의인법을 사용했다. 4연에서 2연과 3연에 사용한 산소와 철을 의인법으로 사용하고 ㅏ, 독립운동기들을 신소, 철로 표현했다. 그리고 무생물을 생물인 것처럼 사용하는 활유법을 사용하여 산화철이 독립운동을 하여서 독립에 가까워지길 바라는 염원을 표현했다.

# 독립 질량 보존 법칙을 증명한 순간

노윤서

이토가 저지른 일을 안 순간은
내 마음속의 굳센 나무가
자라는 순간

총을 꺼내어 장전한 순간은
내 마음속의 나무와 산소가
손을 잡은 순간

총을 쏜 순간은
화학 변화한 커다란 불길이 내 마음속을
화르륵 뜨겁게 휩쓸며 발열반응을 일으킨 순간

눈에 보이는 재만 있는 것이 아닌
이산화탄소와 수증기가 있는 것처럼
보이지 않는다 하여 사라진 것이 아니다

우리 한민족의 독립에 대한
염원의 질량은
독립이 되는 그날까지
보존될 것이다

<독립 질량 보존 법칙을 증명하는 순간 시화 작품 설명>

전체적으로 각 연에서 '~한 순간은, ~한 순간'에서 같은 단어를 반복하여 표현함으로써 운율을 형성했다. 운율을 사용해 이토를 보고 든 생각, 그래서 이어지는 과학적 요소(질량보존법칙, 발열반응)를 강조. 안중근의 독립을 위한 애국심을 강조하기 위해 사용했다. 4연에서 '눈에 보이는 재만 있는 것이 아닌 이산화탄소와 수증기가 있는 것처럼'에서 '처럼'을 사용하여 '이산화탄소와 수증기가 있는 것' 원관념을 5연의 '우리 한민족의 염원(독립)에 대한 질량'을 보조관념으로 비유를 통해 변하지 않고 보존될 것임을 강조하였다.

# 난 태어났을 때부터 자유다

백경훈

난 태어났을 때부터 자유다

아아 우리는 태어났을 때부터
자유의 몸이 아닌가
우리의 자유로운 의식은 물리변화이다

자유를 막는다면
화학 변화시켜 버리겠다

너는 자유의 몸으로 자연으로 가거라
나도 따라 자연으로 가리

너의 몸은 화학변화하고
원자보다 작게 변하지

내 몸이 화학 변화해도
내 마음은 영원히 남아있으리

&lt;난 태어났을 때부터 자유다 시화 작품 설명&gt;

안중근과 독립운동가들에게 자유를 선물하고 싶은 마음을 담아서 제목을 정했고, 현실에서 이루지 못하고 핍박받은 안중근과 독립운동가들에게 선물했으면 하는 자유의 날개를 과학 시화의 그림으로 표현하였다.

# 피어날 독립

박소민

안중근의 독립에 대한 마음은
아직 다 피어나지 못하였다

안중근의 독립에 대한 마음은
오랜 시간이 걸려도 포기하지 않고
피어나는 마천주 꽃처럼

형태는 변하지만
성질은 변하지 않는
물리변화처럼

우리에게 꼭 필요한 $O_2$처럼

언젠가 우리에게 피어나서
소중한 존재로 다가올 것이다

<피어날 독립 시화 작품 설명>

안중근의 노력에 독립이 언젠가 피어날 것이라는 의미가 시에 담길 수 있도록 하였다. 2연에서는 오랜 시간이 걸려도 피어나는 마천주 꽃을 통해 많은 시련을 이겨내면 언젠가는 독립이 이루어짐을 표현하였다. 3연에서는 형태는 변하지만 성질은 변하지 않는 물리변화처럼 시대의 흐름과 상관없이 독립을 향한 마음은 변하지 않음을 표현하였다. 4연에서는 우리의 삶에 꼭 필요한 산소처럼 독립에 대한 마음은 우리에게 꼭 필요하다고 비유를 통해서 표현하였다.

# 원자번호 1번은 독립

서민서

대한 독립의 소리가 천국에 들려오면
나는 마땅히 춤추며 만세를 부를 것이다

그의 유언에서도 알 수 있듯
그가 죽었음에도 그의 정신이 변한 것은 아니다

아아, 그의 정신은 물리변화이다
배열이 바뀌더라도 고유의 성질은 변치 않는 것처럼
그의 정신은 물리 변화아닌가

안중근의 독립을 향한 의지는 발열 반응되어 고개를
들었다 그의 주변인들은 안중근의 의지를 흡열반응했다

대한독립의 소리가 천국에 들려오면
나는 마땅히 춤추며 만세를 부를 것이다

그의 유언에서도 알 수 있듯
그가 죽었음에도 그의 정신이 변한 것은 아니다

아아, 그의 마음속 조국의 독립은 수소이다
수소가 원자번호 1번인 것처럼
그의 마음속 조국의 독립은 1위가 아닌가

<원자번호 1번은 독립 시화 작품 설명>

3연에서 2연에서 말했듯 그의 정신은 변하지 않았으므로 상태는 변하지만 성질은 변하지 않는 물리변화로 비유하여 표현하였고, 감정을 호소하는 '아아'를 넣어 영탄법으로 더욱더 강조하였다. 4연, 안중근의 의지에 감동받은 주변인들이 그를 따라 독립운동에 동참했다는 것을 발열반응의 특징으로 표현하였다. 6연에서 2연처럼 그의 정신은 변하지 않았다는 이미를 한 번 더 강조함으로써 운율을 형성하고자 하였다. 7연에서 수소가 원자번호 1번인 것처럼 안중근의 마음속 독립은 첫 번째라는 의미로 독립(원자번호 1번인)과 수소를 동일시하여 표현하였다.

# 독립의 성질

진현우

1909년 10월 26일 하얼빈역
독립을 향한 그의 마음이 3번 울렸다

2월 14일 사형선고를 받아도
3월 26일 사형을 당해도
독립을 향한 마음은
결코 화학 변화하지 않는다

독립을 향한 그의 마음은
독립을 이루어도 계속 남을 것이다

독립은 질량 보존 법칙처럼
다음 세대에도 변하지 않는다

그가 남긴 독립을 향한 마음은
물리변화처럼 변하지 않는다

<독립의 성질 시화 작품 설명>

2연에서 화학변화는 물질의 성질까지 다 변하기 때문에 독립의 성질은 변하지 않는다는 뜻으로 화학 변화하지 않는다고 표현하였다. 4연에서는 질량 보존 법칙은 화학반응이 일어나도 반응물의 총질량과 생성물의 총질량이 같기 때문에 시간이 지나면서 세대가 바뀌더라도 변하지 않는다는 뜻으로 질량보존법칙을 사용했다 5여에서 물리변화는 물질의 성질이 변하는 않기 때문에 독립의 마음에 대한 의지도 변하지 않는다는 의미로 물리변화를 사용했다.

# 단지

최종현

단지 그들은 조국의
독립을 원했다

단지 그들의 의지가
화학변화처럼 변하지 않길 원했다

단지 그들은 흡열반응
잘랐을 뿐이었다

단지 그들의 염원이
질량 보존 법칙처럼
후대에도 온전히 전해지길 바랐다

단지 그들은
발열반응이 움직였을 뿐이었다

&lt;단지 시화 작품 설명&gt;

연마다 단지로 시작해서 운율감을 줄 수 있도록 중의법을
사용해서 단지가 부사가 될 수도 있고, 손가락을 자른다
는 의미가 될 수도 있고, 독립운동가가 자른 손가락을 넣
은 항아리를 뜻하는 단지가 될 수도 있게 했다. 2연에서
그들의 의지가 화학변화처럼 변하지 않길 원했다는 표현
에서 직유법을 사용해서 화학변화는 성질 즉 본질이 변하
니 독립을 원하는 의지가 변하지 않는다는 것을 비유했다.
3연에서는 그들이 흡열반응을 잘랐다고 대유법을 사용해
손가락을 대신 사용해서 일본이 들어왔을 때 그 일본은
들어오게 하지 않겠다는 의지를 담아 잘랐다고 표현했다.
4연에서 그들의 염원이 질량 보존 법칙처럼 줄어들지 않
고 그 염원의 양이 변하지 않기를 직유법을 통해 표현했
다. 5연에서 활유법을 활용해서 발열반응이라는 무생물을
생물처럼 표현하여 일본의 침략에 마땅히 발열반응으로
일본을 내보내려는 것을 표현했다.

# 안중근에게

김은진

안중근에게
너의 죽음은 화학 반응식처럼 성공적인 결과를
이루게 될 수 있도록 하는 일이다.

안중근에게
이것은 조선인 전체의 공분이며,
불타는 심장이란걸 잊지 말거라

안중근에게
너는 화학변화처럼 변하는 것이 아닌
물리변화처럼 마음은 그대로이니
질량보존법칙처럼 다른 마음 먹지 말거라

안중근에게
일정성분비법칙이 평화롭게 노래하듯
독립되기를 기도한다.

<안중근에게 시화 작품 설명>

'안중근에게'를 연 시작에 반복적으로 사용, ~다 또는 ~
하거라 등으로 연의 끝에 운율을 넣었다. 1연에서 안중근
의 죽음은 성공적인 결과를 이루게 될 수 있도록 해주는
하나의 업적이라는 의미를 화학 반응식을 통해 비유하였
다. 3연에서 안중근은 죽어 몸이 썩어 변하여도 마음만은
변하지 않았다는 의미를 화학변화, 물리변화, 질량보존법
칙으로 비유하여 표현하였다 4연에서 일정성분비법칙을
이용하여 일정한 잔잔함, 평등을 비유하여 표현하고자 하
였다.

# 영원한 이슬

서준

이토를 죽인 안중근
조국 독립을 위해
물리변화한다

감옥에 들어간 안중근
그의 죽음은
화학변화처럼
새로운 변화를 가져온다

혼자 독방에 있는 안중근
원소 사이 일정한 성분비가 성립하는 것처럼
조국에 대한 마음도 그러하다

사형당한 안중근
질량보존의 법칙처럼
변함없이 독립을 위해 힘쓴다

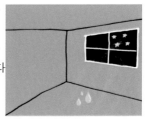

사형장의 이슬로 변한 안중근
조선인들에게 영원한 이슬이다

<영원한 이슬 시화 작품 설명>

　1연에서 물질 고유의 성질이 변하지 않는 물리변화라는 과학개념을 조국 독립으로 비유하여 표현하였다. 2연에서는 상태와 더불어 성질까지 변하는 화학변화를 통해서 안중근의 죽음이 새로운 변화를 가져오는 것을 강조하여 표현하였다. 3연에서 일정 성분비 법칙을 활용하여 어디에 있어도 조국에 대한 마음은 그 성분비만큼 일정함을 표현하고자 했나. 4연에서는 실량 보존 법칙의 개념을 통해 변함없는 독립에 대한 열망을 담고자 했다. 5연에서는 이슬로 변했지만 안중근의 독립 정신은 영원하기를 바라는 마음을 영원한 이슬에 담았다.

# 고향으로 돌아갈 날

홍성민

이 머나먼 타지에서
고향으로 돌아갈 날

수소와 산소가 합쳐져
수증기가 되어 하늘로 가는 것처럼
나 또한 고향 사람들의 손길에
하늘 따라 고향으로 돌아갈 날

언젠가는 나에게
따뜻한 손길을 주지 않을까
뫼비우스의 띠를 도는 것처럼
하염없이 기다린다

내 몸이 화학변화로
썩어 문드러져 고향으로 못 가면
하늘에서도 편한 마음으로 살지 못하니
부디 나를 찾아주기를

<고향으로 돌아갈 날 시화 작품 설명>

3연에서는 직유법과 의인법을 사용해서 고향이 자신을 되찾아 주기를 이곳에서 벗어나게 해줄 고향의 따스한 손길을 바라는 끝 없는 시간을 뫼비우스의 띠를 돌고 있는 것으로 끝이 없는 인고의 시간을 표현했다. 4연에서는 죽어서 고향으로 돌아가지 못했다는 원통한 마음 때문에 하늘에 있는 지금도 편히 살지 못하게 되어 빨리 자신의 유해를 고향이 찾아주어 대한으로 데려가 주기를 바라는 마음을 의인법과 화학변화 개념으로 표현했다.

# 독립 발열반응

조예림

독립에 대한 마음은 물리변화다

죽어 뼈만 남더라도
나라를 향한 사랑은 질량보존법칙이다

다른 곳에 있어도 독립을 위해 힘쓴다


원자의 배열은 달라지더라도
종류, 수는 변하지 않는 것처럼
죽더라도 독립에 대한 염원을 버리지 않는다

독립을 향한 활활 타오르는 불꽃
독립을 향한 마음은
일정 성분비 법칙으로 일정하다

독립에 대한 마음을 내뿜자
독립을 향한 온도가 높아졌다

화학 반응식처럼
독립에 대한 염원들이 모여 독립이 되었다

<독립 발열반응 시화 작품 설명>

　이 시는 에너지를 방출하여 주변의 온도를 높아지게 하는 발열반응 개념을 통해 독립에 대한 마음을 내뿜어 독립을 향한 온도가 올라갔다는 것으로 표현하고자 했다. 4연에서 화학변화가 일어났을 때 원자의 종류와 수는 변하지 않는 것과 안중근 의사가 죽더라도 독립에 대한 염원은 변하지 않는다는 것을 ~처럼 이라는 직유법을 사용하여 표현하였고, 6연에서 사람이 아닌 마음에 사람처럼 행동하는 것인 의인법을 사용하여 발열반응을 독립에 대한 마음을 내뿜어 온도가 올라감을 표현하였다.

# 8 말하고 픈
마음 다섯째

# 페리윙클

강서림

페리윙클 같은 당신

당신이 남긴 역사를
질량보존법칙처럼 기억하고 싶은 우리

페리윙클 같은 당신

대한민국이 화학변화나 물리변화를 해도
우리는 어떻게든 당신을 기억할 것입니다.

페리윙클 같은 당신

그러한 당신을
페리윙클에 꽃말처럼
당신을 기억하겠습니다

<페리윙클 시화 작품 설명>

　1연에는 페리윙클이라는 꽃말의 뜻인 '기억하겠다'를 사용하여 안중근 의사를 기억하겠다는 의미로 사용하였다. 2연은 질량보존법칙을 사용하여 절대 잊지 않겠다는 마음을 표현하였다. 3연에 페리윙클이라는 꽃말의 뜻인 '기억하겠다'를 사용하여 안중근 의사를 기억하겠다는 의미로 사용하였다. 4연에는 화학변화와 물리변화를 사용하여 어떤 변화가 일어나도 기억할 것이다는 의미를 부여하였다. 5연에는 페리윙클이라는 꽃말의 뜻인 '기억하겠다'를 사용하여 안중근 의사를 기억하겠다는 의미로 사용하였고, 마지막 6연은 내가 진심으로 전하고 싶은 '당신을 기억하겠다'라는 말을 전하였다.

# ArAuFHe

고창민

Ar Au F He에 태어난
태극기의 한 조각
조각조각 모여
완성되어 가는 태극기

조각들이 흩어져도
승냥이가 방해해도
굳건한 마음으로
변치 않고 만들어 가는 태극기

한 조각을 모으고
한 조국을 만들어 가는 태극기

19100326 떠난 한 조각
천국에서도 변힘없는 마음으로
미완의 퍼즐을 만들어 가는 태극기

&lt;ArAuFHe 시 작품 설명&gt;

작품의 제목에 알파벳 의미는 1879년 9월 2일을 원소 기호로 표현하고자 하였다. ArAuFHe Ar(원자번호18, 아르곤), Au(원자번호79, 금), F(원자번호9, 플루오린), He(원자번호2, 헬륨)원자번호와 원소기호를 사용해 우리와 만날 수 있는 기회를 줬던 안중근 의사의 생일을 기념하기 위해서 나타냈다. 1연에서는 안중근과 독립 투사들을 현재 우리의 태극기를 들 수 있게 해준 독립운동가로 태극기의 한 조각으로 비유했다. 2연에서는 일본을 승냥이로 비유하였고, 독립운동가들의 굳건한 마음을 표현했다. 3연에서는 독립투사분들 각자의 희생을 조각으로 표현하고 그 조각들을 모아가고 있음을 표현했다. 4연에서는 안중근 의사가 하늘로 간 일자를 쓰고 그 한 조각이 하늘에서도 맞춰주기 위해 노력함을 표현했다.

# 시간의 흐름

김민주

그의 미래 구상이 담겨있는 그것
판사가 집필 시간을 허락했던 그것

그의 사형 집행을 앞당기려는 누군가
40여 일 후 결국 처형당하는 그.

그러나 그가 아직 완성하지 못한 그것
그의 몸 일부 같은 그것

여우비같은 처지의 그것

현재 누군가에게 $C_6H_{12}O_6$가 되는 그것
누군가에게는 $O_2$가 되는 그것

시간이 지나면서 성질이 바뀐 그것
세월의 흐름을 알려주는 그것

현재 세계평화 공동체 수립에
도움을 주는 그것

그는 떠났지만
발열반응처럼 우리에게 에너지를 나눠주는 그.
흡열반응과 같이 그의 에너지를 흡수하는 우리.

그리고
아직까지 존재하고 있는
그 시절의 그것

<시간의 흐름 시화 작품 설명>

1연은 안중근의 미래 구상이 담겨있고 판사가 집필 시간을 허락했었던 동양평화론에 대해 설명하고 있고 '그것'은 동양평화론을 나타내고 시 전체에 사용하여 운율을 형성하였다. 2연에서는 안중근의 사형 집행을 앞당기려는 사람과 40여일 후 처형당하는 안중근의 슬픈 현실을 뜻한다. 3연에서는 안중근이 아직 완성하지 못한 동양평화론과 직유법을 사용하여 동양평화론이 안중근의 몸으로 표현했다. 4연에서는 동양평화론이 여우비(잠깐 내리다 그친 비)같이 완성하지 못하고 쓰다가 중단될 수밖에 없었던 일을 '여우비같은 처지의 동양평화론'이라고 은유법을 사용하여 나타냈다. 5연에서는 현재 누군가에겐 안중근의 동양평화론이 포도당과 산소가 되어 힘이 된다는 것을 화학식으로 표현하였다. 6연에서는 현재 동양평화론이 과거에 비해 성질이 바뀌면서 세월의 흐름을 나타낸다고 표현하였다. 7연에서는 현재에 있어서 동양평화론이 세계평화에 도움이 된다는 것을 뜻한다. 8연에서는 현재 안중근은 이 세상에 계시지 않지만 과학에서 발열반응처럼 우리에게 에너지를 나누어주고 있고 흡열반응처럼 우리는 안중근의 독립 에너지를 흡수하고 있다고 비유법을 사용해서 나타냈다. 9연에서는 현재와 과거를 연관지어 동양평화론이 아직까지도 존재함을 표현하였다.

# 그날을 기다리며

김수민

이토 히로부미의 죄는
질량 보존의 법칙처럼
평생 그의 죄는 변하지 않다네

정권을 강제로 빼앗아 갔지만
국민은 변하지 않으니
물리변화 같네

고종황제를 강제로 폐위시켰지만
절대 화학변화처럼
바뀌지 않을 것이네

다시 우리나라가
해방되기를 바라며

화학반응처럼 변화가
일어났으면 하네

&lt;그날을 기다리며 시화 작품 설명&gt;

1연에서는 화학변화가 일어나도 반응에 참여한 물질과 생성된 물질의 총질량은 변하지 않는 질량보존법칙으로 이토 히로부미의 죄는 절대 변하지 않고 영원함을 비유하여 표현하였다. 2연에서는 상태와 모양은 변하지만 성질은 변하지 않는 물리변화로 우리나라의 겉모습을 바꿀 수 있겠지만 국민의 독립을 향한 마음은 변치 않는다는 것을 표현하고자 하였다. 3연에는 독립의 의지가 변하지 않을 것임을 화학변화처럼 절대 변하지 않겠다고 표현하였다. 5연에서는 독립을 의미하는 새로운 물질을 만드는 화학반응으로 새롭게 변했으면 좋겠다는 의미를 표현하였다.

# 결의의 상처

김주하

아무리 우리에게 칼을 들어도
그것은 우리에게 작은 물리변화밖에 안되니라

무력을 해대면 우리의 육신은 변할지라도
독립을 향한 내면의 성질은 결코 변하지 않으리라

내가 이 손가락 하나를 없애는 것은
그저 작은 물리변화에 아닌
값진 아픔으로 남으리라

원자의 종류와 수가 변하지 않더라도
새로운 조합으로 성질이 다른 무언가를 만드는 것처럼
우리는 또다시 희망을 만들어 갈 것이고

설령 내가 죽더라도 독립을 향한 마음의 질량은
영원할 것이라는 질량보존법칙을 약속한다

우리의 독립심은 마치 흡열반응처럼
일제의 힘을 뺏고 더욱 뜨거워질 것이다

이 손가락의 피가 만든
독립을 향한 길을 함께 걸으며
먼 훗날 독립의 기쁨을 누려보자

&lt;결의의 상처 시화 작품 설명&gt;

 1연은 칼을 든다는 표현에서 대유법을 사용해 당시 일제가 우리에게 가했던 모든 폭력과 아픔을 칼로 대신하여 비유하였다. 물리변화의 특징을 이용해 일제가 우리에게 했던 무력을 나타내었다. 2연은 1연에서 말했던 물리변화의 특성을 우리의 겉의 상태는 변할지라도 독립을 향한 우리 내면의 성질은 변하지 않을 거라고 표현하였다. 4연은 원자의 개수는 변하지 않지만, 새로운 분자의 조합을 만드는 화학변화의 특성을 적용하여 안중근이 계속해서 단지회를 이끌어나갈 것이라는 의미와 비슷하여 직유법을 사용해 표현하였다. 5연은 안중근 자신이 죽더라도 그의 독립심의 질량은 영원할 것이라는 표현을 반응 전후에 물질의 총질량이 같은 질량 보존 법칙을 빗대어 표현하였다. 6연은 열을 흡수하면서 주위의 열을 뺏는 흡열반응을 일제와 독립운동가들의 관계로 비유하여 조국의 애국심이 커질수록 일제의 힘(열)은 약해질 것이라는 의미를 담았다. 7연은 손가락을 잘라 생긴 피가 먼 훗날의 독립을 만들 것이라는 안중근의 염원을 나타내었다.

# KFHeF

김형진

천구백구년 이월 구일이네

주마등같이 스쳐 지나가는 지난날
조국의 독립을 위한 단지동맹

처음에 내린 결정은
질량보존법칙과 같기를 바라네

추운 겨울
오리가 강 위를 떠다니는 게
당연하다는 듯이

일제의 탄압 시대
모두가 독립을 원하는 마음은
물리변화이라네

천구백구년 이월 구일이였네

< KFHeF 시화 작품 설명 >

　작품의 제목은 안중근의 굳은 결의를 보여주는 단지동맹의 날짜를 원자번호로 표현하였다. (1909.02.09) 1연과 6연은 일천구백구년 이월 구일 안중근의 의지를 강조하기 위해 같은 문장을 처음과 끝에 사용해 운율감을 주었다. 2연은 주마등처럼 스쳐가는 지난날에서 자신이 역설한 단결을 뜻하고 독립을 위해 손가락 자름을 뜻한다. 3연에 질량보존법칙은 상태변화에 상관없이 계속 변하지 않는 영원한 값을 말하는 부분에서 영감을 얻어 안중근은 처음에 한 선택을 후회하지 않음을 표현하였다. 4연에서는 오리가 강 위에 떠다니는 게 당연하다는 듯 우리가 독립을 원하는 것도 당연하다는 것을 나타내기 위해 대유법 사용하였다. 5연에서는 물질이 가진 고유성질은 변하지 않는 물리변화를 통해 독립에 대한 마음은 나중이 되어도 변하지 않는다는 것과 동일하게 표현하였다.

# 이안환안

안요한

질량 보존 법칙처럼
너희가 내 아버지를 구타한다면
나 역시 변하지 않고
너희를 구타하러 갈 것이고,

물건을 때려도 난 물질만 변하지
성질은 변하지 않는 것처럼
나도 변하지 않고, 너희들에게 복수하러 갈 것이다

너희들이 들어갈 수 없는 곳으로 숨는다면
난 $H_2$가 되든 $O_2$가 되든 너희를 따라가
똑같이 돌려줄 것이다.
너희들이 한 잘못에는 책임을 져라

반응물이 없다면 생성물도 없듯이
너희들이 먼저 한 잘못이다
너희들이 한 잘못에는 책임을 져라

총이 나오든 흉기가 나오든
나는 꼭 너희에게 돌려줄 것이다
꼭 돌려줄 것이다

고통이 너희들을 바라본다

<이안환안 시 작품 설명>

　1연에서는 원자의 배열은 달라지더라도 원자의 종류와 수는 변하지 않고 총질량은 변하지 않는 질량보존법칙처럼 안중근의 신념은 변하지 않는다는 것을 표현하였다. 3연에서는 $H_2$와 $O_2$를 이용하여 안중근이 죽음에 이르러 산소가 되든 수소가 되든 괴롭힌 일본에 대한 책임을 끝까지 묻겠다는 것을 표현하였다. 5연에서는 어떤 무기가 나오든 자신은 포기하지 않고 돌려주러 갈 것이라는 자신의 분노한 마음을 표현했다. 6연은 구타하면 고통이 있는 것처럼 구타한 사람들이 고통을 받을 것임을 통해 일본의 만행이 다시 일본의 고통으로 나타날 것임을 표현했다.

# 세 발의 총성

오서연

1909년 10월 26일
하얼빈에 울린 세 발의 총성

세 발의 총성
사라지지 않는 질량 보존 법칙처럼

눈물로 얼룩져 잠긴 우리나라
그 힘으로 쓴 네 글자 대한독립

사내가 쏘았던 세 발의 총성은
민족의 분노 앞에 쓰러졌고

민족의 분노 앞에 쓰러진 이 분노는
물리변화와 같이 없어지지 않는다

대한 독립의 소리가 들려오면
나는 마땅히 만세를 부를 것이다

&lt;세 발의 총성 시화 작품 설명&gt;

　2연에서는 세 발의 총성이 독립에 대한 의지가 변하지 않음을 질량 보존 법칙으로 표현하고자 했다. 3연에서는 눈물로 얼룩져 힘든 조국의 한 부분을 가지고 전체를 들어내는 표현을 대유법으로 나타내었다. 4연에서는 민족의 분노 앞에 쓰러진 이 분노는 마치 물리변화와 같이 겉으로 보이는 상태는 변해도 그 본질인 독립을 향한 마음은 변화가 없음을 나타냈다. 5연에서는 독립의 소리가 들려오면 나는 마땅히 만세를 부를 것이다라는 표현에서 사물의 모양이나 태도를 그대로 모방하여 의태법으로 독립의 기쁨을 강조하고자 하였다.

# 저버린 별

윤수호

그들의 힘은 물리변화일 뿐이요
우리의 마음은 화학변화 되지 않았다

그러나 그들의 마음은 화학변화요
우리는 잊혀간다

우리의 마음은 금( AU )이요
그들의 마음은 변하지 않는 질량보존 법칙

비록 몸은 뺏겼지만
같은 하늘 아래 우리 모두 국가일 뿐인데
그들의 마음속엔 왜
일정 성분비 법칙이 보이지 않는가

그들은 도대체 왜
우리 마음의 별을
흡열반응으로 대응하는가

저버린 마음의 별은
저 멀리 현태를 잃어가고
우리의 별은 빛을 잃어간다

< 저버린 별 시화 작품 설명 >

1연에서는 일제의 어떤 침략에도 우리의 독립 의지는 변하지 않음을 물리변화로 표현하였고, 화학변화되지 않았다는 것을 강조하여 표현하였다. 3연에서는 우리의 마음은 금이요 그들의 마음은 질량보존법칙이라는 표현은 일제가 우리의 마음까지 바꿨다고 착각해도 우리의 마음은 금처럼 변치 않는다는 것을 뜻하고 또 지배 전에도 후에도 변하지 않는 일제의 야망을 질량보존법칙으로 비유하여 나타냈다. 4연에서는 비록 나라를 빼앗겼지만 우리는 모두 같은 나라일 뿐인데 일제와 우리의 일정하지 않은 관계를 나타내었다. 5연은 우리 마음속의 희망을 별에 비유하여 마음의 희망을 빼앗아가는 것을 나타내었다. 6연에서는 일제의 침략으로 희망이 희미해진 별로 비유하고 우리의 내일이 더 어두워져 가는 것에 대한 안타까움을 표현하였다.

# 두 나라의 운명

임지희

대한제국과 일본
옛날에는 무슨 일이 있었길래
물과 기름처럼
사이가 안 좋은가

대한제국과 일본은
모두 나라 아니던가

물리변화처럼
성질은 같은데
모양이나 상태만 다른 것 아니던가

분명 둘 다 나라이고
자기들만의 특성이 있는 것

대한제국을 지키고자
용기내서 나온 그를
죽어야만 했을까

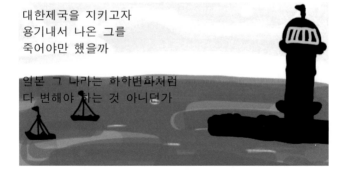

일본 그 나라는 화학변화처럼
다 변해야 하는 것 아니던가

&lt;두 나라의 운명 시화 작품 설명&gt;

1연은 대한제국과 일본이 옛날에 무슨 일이 있었다는 것을 알려주며 물과 기름처럼 안 섞이듯 사이가 안 좋다는 것을 표현하고자 했다. 2연은 대한제국, 일본 모두 서로 존중하고 함께 해야 하는 독립적인 존재임을 강조하기 위해 모두 나라 아니던가 라는 글로 표현했다. 3연에서 물리변화는 모양이나 상태가 변할 뿐 본질은 변하지 않음을 대한제국과 일본이 겉으로 보이기에는 다르지만 서로 상호존중 해야 할 각각의 나라임을 강조하여 표현하였다. 5연은 대한제국을 지키고자 독립을 위해 힘쓴 안중근의 죽음이 억울함을 표현하였다. 6연은 화학변화의 특징인 모양과 성질 모두 변한다는 부분에 착안하여 일본이 변해야 한다는 것을 표현하였다.

# 따뜻한 흡열반응

조은서

도끼로 동의단지회 사람들의 손가락을 자르자
분수처럼 솟구치는 피들이
발열반응이 일어난 것처럼
우리의 마음에 따뜻하게 스며든다

손가락은 잘려 부패가 될지라도
우리의 본질은 변하지 않으니
우린 손가락을 잘랐지만 아직 잘리지 않았다

손가락이 잘려 부패가 될지라도
우리의 본질은 보존될 것이다

질산암모늄이 물에 용해되는 것처럼
우리가 일본에 용해되진 않을 것이며
설대 우리의 열을 뺏기지 않을 것이다

<따뜻한 흡열반응 시화 작품 설명>

　제목의 의미는 주변 상황(일본)은 열(애국심)을 뺏으려 노력하지만 우리는 끝까지 따뜻해지려고(애국심을 지키려고) 노력하는 모습을 표현하여 모순적인 표현으로 이 뜻을 강조하였다. 1연은 도끼로 동의단지회 사람들의 손가락을 자르자 피가 나는 장면을 표현하였다. 이때 '분수처럼 솟구치는 피'라는 표현에서 직유법을 사용하여 분수처럼 강하게 솟구치는 피를 통해 강한 독립 의지를 표현하였다. 그리고 발열반응이 열을 방출해 주변이 따뜻해지는 현상임을 이용하여 애국심이 우리들의 마음을 따뜻하게 만들어 준다는 것을 표현하였다. 2연에서는 '우린 손가락을 잘랐지만 잘리지 않았다'에서 표면적으로는 모순되는 것 같지만, 그 표면적인 진술 너머에서 진실을 드러내는 역설법을 사용해 우리의 손가락이 잘렸지만, 고유의 성질 애국심은 변하지 않는다는 것을 표현하기 위해 물리변화를 사용하였다. 3연에서는 질량보존법칙 개념을 통해 손가락이 잘려 썩어도 애국심은 보존된다고 표현하였다. 4연에서는 흡열반응의 예인 질산암모늄이 물에 녹는 반응을 이용하여 우리가 일본에 녹아 흡열반응이 일어나게 하지 않도록 일본에게 지배당해 복종하지 않을 것을 표현하였다. 또한 흡열반응은 열을 흡수해 주변을 차갑게 만드는 현상임을 이용하여 일본이 우리에게 애국심을 포기하고 일본에 복종하기를 바라게 만들지만 우리들은 절대 그러지 않을 것을 표현하였다.

# 그날을 바라보며

지하정

모든 준비는
마무리되었다

모든 것들을
돌려주자

너가 빼앗아 간 대륙들이
아픔으로 물들기 전에

하얼빈 맑은 하늘의 구름이
그들을 향한 환호

그 환호 소리를
왜 듣는가

우린 그 환호를 지르며
고통에 잠기는데

자신들은 왜 행복하는가
그 환호 소리가 정말 싫다 듣기 싫다

<그날을 바라보며 시화 작품 설명>

　제목은 안중근이 이토를 죽인 날짜와 빨리 독립하기를 바라는 간절함을 표현하였다. 1연은 일제 강점기 시대에 안중근과 그 동료들이 하얼빈에 갈 준비를 마쳤다는 의미를 표현하였다. 2연은 복수를 해주고 우리 조국을 찾겠다는 것을 표현하였다. 3연은 이토가 사람들을 더 고통으로 죽지 않도록 하였다. 4연은 하얼빈에서 다양한 사람들이 그를 환영한다는 환호 소리를 표현하였다. 5연은 국민들에게 환호를 하는지 이해가 안 된다는 것을 표현하였다. 6연은 그들이 가지고 간 우리 조국을 자신들의 입맛대로 다루는데 그걸 어떻게 참을 수 있냐고 일본의 부당함을 표현하였다.

# 빛을 쫓는 해바라기

최단휘

화학변화처럼
우리의 성질을 바꿀 수 있을 것 같네

나를 구성하는 육체는 달라지더라도
빛을 향한 나의 마음은
변치 않는 질량 보존 법칙같네

나의 형태는 바뀌어도 성질은
변하지 않으니 물리변화같네

나의 희생과 우리의 염원이 반응해
빛이 생성되오니
희생과 염원을 기체반응법칙처럼
간단한 정수비로 나타낼 수 있을 것 같네

우리의 염원은 매우 뜨거우니
마치 열이 발생하는 발열반응같네

빛의 소리가 천국에 들려오면
나는 마땅히 춤추며 만세를 부를 것이네

<빛을 쫓는 해바라기 시화 작품 설명>

　1연은 은유법을 사용하여 우리나라가 독립하는 것을 성질이 변하는 화학변화로 나타내었다. 이는 우리나라가 독립을 할 수 있다는 희망을 보여준다. 2연은 직유법을 사용하여 안중근의 '독립을 향한 마음(내가 희생하더라도 독립을 위해 싸우겠다.)을 보존하겠다'라는 마음을 질량보존의 법칙에 비유하였다. 3연은 은유법을 사용하여 '안중근이 죽어도 독립을 향한 마음은 변치 않겠다'라는 마음을 성질은 변하지 않으니 물리변화 같다고 표현하였다. 4연은 안중근의 희생과 염원이 만나 독립이 생성되는 것을 은유법으로 기체반응법칙이라고 표현하였다. 5연은 은유법을 이용하여 독립을 향한 뜨거운 국민의 염원이 발열반응과 같다고 표현하였다. 6연은 역설적인 표현을 사용하여 관심을 끌게 하였다. 이 구절은 안중근이 "독립을 위해 희생한 후 천국에서도 이를 기뻐할 것이다."라는 마음을 표현하였다.

# 영원히 기억될 편지

최의영

내 사랑하는 아들아 죽어라

너는 일제의 말이 되지 말고
영원히 조선의 말이 되어 죽어라

네가 만약 불에 타 죽는다면
너의 형태는 변해도
네 마음과 기억은 영원히 함께 한다

네 마음은 영원한 독립
나의 마음 또한 너와 같다

그러니 나라를 위해 이른 즉
딴 맘 먹지 말고 죽어라

제발 죽어다오

<영원히 기억될 편지 시화 작품 설명>

조마리아가 안중근에게 편지를 주었는데 그 편지 내용을 패러디한 것으로 안중근은 죽어도 우리 마음속에 영원히 있을 것이라는 의미이다. 또한, 이 시에서 '죽어라'라는 표현을 반복적으로 넣어 어머니의 마음을 다시 한번 생각해 보게 했다. 1연에서 시적 표현은 이 시와 조마리아의 입장, 편지를 생각하며 '죽어라'라는 표현으로 다른 연과 운율감을 형성하였다. 2연에서 시적 표현은 안중근이 독립운동가로서 우리나라를 대표하였기 때문에 '너는 일제의 말이 되지 말고 영원히 조선의 말이 되어 죽어라' 이 연에서 안중근을 말로 비유해서 절대 다른 마음을 가지지 말고 영원한 조선의 사람으로 살아 죽으라는 의미로 비유법을 사용하였다. 3연에서 시적 표현은 안중근의 독립하고자 하는 마음을 담아 '네 마음과 기억은 영원히 함께 한다'라고 써보았다. 또한, 과학적 요소는 네가 만약 불에 타 죽는다면 너의 형태는 변해도 네 마음과 기억은 영원히 함께 한다' 이 구절에서 '너의 형태는 변해도'는 물질의 성질은 변하지 않는 물리변화를 사용했다. 4연에서 시적 표현은 '네 마음은 영원한 독립 나의 마음 또한 너와 같다' 이 구절에서 '네 마음은 영원한 독립'은 A는 B이다라는 은유법을 사용하였다. 안중근이 독립만을 생각하라고 '영원한'이라는 표현을 사용하였다. 또한, 자신의 뜻도 같으니 절대 다른 맘을 가지지 말라고 이 문장을 썼다. 5연에서는 조마리아의 편지 내용 중에서 이 글에 필요한 구절을 가지고 왔다. 6연에서는 조마리아의 감정과 입장을 생각해서 표현하였다.

# 테러리스트는 누구

한민우

일본 초대 총리는
안중근의 외침에 맞아
성질이 변하였는가

안중근은 테러리스트가 아니다
경찰이 도둑을 진압하는 것처럼

안중근은 테러리스트가 아니다
벌이 꿀을 저장하는 것처럼

안중근은 테러리스트가 아니다
사람이 음식을 먹는 것처럼

안중근은 테러리스트가 아니다
이토 바로 너가 테러리스트

<테러리스트는 누구 시화 작품 설명>

1연에서는 외침에 맞아라는 문장에서 외침을 총으로 비유하였다. '성질이 변하였는가'라는 문장에서 이토의 동양평화를 깨뜨리려는 의도가 죽었다는 것을 화학변화로 나타내고자 하였다. 2, 3, 4, 5연에서는 '안중근은 테러리스트가 아니다'라는 표현을 반복하였고, 사물의 모양이나 상태를 그대로 모방하여 나타내는 의태법을 사용하여 안중근이 테러리스트가 아님을 강조하고자 하였다.

# 나의 마음

한지안

조국을 향한 내 마음은
질량 보존 법칙처럼 언제나 같다


우리는 물리변화처럼
몸은 멀어져도 마음만은 멀어지지 않으니


내 오늘 우리의 주적을 처단하기 위해
호랑이 굴로 들어가니


비록 내 몸은 사라지더라도
나의 마음만큼은 사라지지 않을지어다

242

&lt;나의 마음 시화 작품 설명&gt;

1연에서는 직유법을 사용했고, 반응 전과 후에도 총질량이 같은 질량보존법칙을 통해 안중근의 조국을 향한 마음처럼 언제나 같다는 것을 강조하고자 하였다. 2연에서는 물체의 모양과 상태는 달라지지만 물질의 성질만은 달라지지 않는 물리변화를 통해 안중근이 독립운동할 때 조국으로부터 멀리 떨어져 있어도 마음만큼은 멀어지지 않음을 표현하고자 하였다.

# 수의를 보내며

한지율

너에 대한 내 마음은 물리변화이다.
너의 마음은 화학변화가 아니길 바란다

너는 나에게 한 줄기의 햇살 같았다
어두울 때 옆에서 빛이 되었다

나의 눈에서 $H_2O$가 나와도
나는 너의 선택에 후회하지 않는다

나는 너가 바위처럼 보였다
앞에 거친 강줄기가 있어도 떠내려가지 않아 보였다

나는 너가 꽃처럼 웃으며 달려온 날이 떠오른다

너가 조국에게 향한 마음이 발열반응처럼
모두에게 닿기를 바라며

먼저 가있거라

내가 꽃처럼 달려 갈테니

<수의를 보내며 시화 작품 설명>

　1연에서 물리변화는 모양이나 색은 변하지만 성질은 변하지 않는데 여기서 조마리아 여사의 안중근에 대한 마음이 세상이 변해도 바뀌지 않는다는 것을 말한다. 2연에서 '너는 나에게 한 줄기의 햇살 같았다'에서 한 줄기에 햇살을 안중근으로 조마리아 여사에겐 안중근이 햇살이라는 것으로 표현하였다. 3연에서 부모의 눈물을 감추기 위해 눈물을 $H_2O$로 표현하였다. 4연에서는 바위를 안중근 의사의 굳은 의지로 빗대어 표현하였다. 6연에서 발열반응은 열을 주위로 방출시키기 때문에 안중근 의사의 조국에 대한 마음을 모두에게 방출시켰다(모두에게 닿았다)는 의미를 담고자 하였다. 8연에서는 '이번엔 내가 꽃처럼 달려갈테니'에서 꽃을 조마리아 여사로 빗대어 아들에게 달려가고 싶은 마음을 표현하였다.

# 암호코드 KF-NeFe

한희원

나의 온몸에 태극기가 흐른다.
작디작은 용기는 소리없이 날아가
사탄을 죽인다.

태초에 내린 결정은 어떠한 물리적 타격이 있어노
변하지 않고 폭죽을 발사해
우리의 들에 꽃비를 살랑살랑 내린다.

악마들의 춤이 2배만큼 커지면
우리들의 춤은 4배만큼 커져
더 큰 파도를 만든다.

우리의 의지와 열정이 만난다면
열과 한줄기의 빛을 방출한다.
그 빛은 주변을 따뜻하게 한다.

나의 온몸에 태극기가 흐른다.
어떤 수모를 당해도 태극기의 질량은 변하지 않는다.

&lt;암호코드 KF-NeFe 시화 작품 설명&gt;

제목은 안중근이 이토 히로부미를 저격한 날 (1909/10/26)을 원소기호로 표현했다. 1연에서는 태극기로 안중근의 몸에는 애국심이 흐르고 있다는 것을 표현했다. 그가 천주교라는 것을 참고하여 일본인들의 행동을 사탄에 비유하였다. 2연에서는 그 어떠한 걸림돌이 있더라도 자신의 의지는 꺾이지 않고 조국을 해방시키겠다는 마음을 표현하였다. 3연에서는 일본의 행적이 악랄해질수록 우리의 반항을 더욱 커진다는 것을 표현하였다. 4연에서는 그의 열정이 결실을 맺어 주변을 밝게 비춘다는 것을 표현하였다. 마지막 연에는 자신은 어떠한 수모를 당해도 애국심은 절대 변하지 않는다는 것을 다시 한번 강조하여 표현하였다.

# 불꽃에서 피어난 자유

문유현

하늘에 떠오른 태양이 환히 빛을 비춰주는 아침
그의 목표는 오직 하나
일본의 권력과 지배를 상징하는 이토를 저격하는 것

그의 눈은 마치 독수리와 같아
멀리서도 목표를 정확히 향해
이토를 서격할 순비를 하네

그는 $KNO_3$,S,C로 이루어진 화약이요
마침내 그는 화약처럼 터져 나갔네
바람처럼 빠르고 날카로운 그의 저격은
우리에게 독립의 발화점을 알려주고
우리는 그의 열정을 흡수하네

이토의 폭주를 막지 못했지만
그의 행동은 자유의 불꽃을 피우네

그는 테러리스트로 몰려
무자비한 법으로 사형되었지만
그의 희생은 우리 민족의 독립 의지
더욱 뜨겁게 달구네

<불꽃 속에서 피어난 자유 시화 작품 설명>

　1연은 의인법을 사용하여 태양을 마치 사람이 빛을 비춰주는 것처럼 표현하였다. 2연은 '그의 눈은 마치 독수리와 같아'라는 부분에서 그의 눈을 독수리에 비유하여 표현하였다. 3연은 화약은 방아쇠를 당기면 탄피에 있는 뇌관이 작동되고 뇌관이 탄피의 화약을 점화한다. 이러한 화학의 폭발 원리가 마치 이토가 명성황후를 시해하고 고종을 강제 폐위시키는 등 만행에 분노한 안중근이 이토를 저격한 점이 비슷하다고 생각하여 안중근을 화약이라고 은유법을 사용하여 표현하였다. 또 안중근 의사가 독립에 대한 열정과 소망으로 이루어져 있는 것 같다고 느껴 이를 질산칼륨, 이산화탄소, 수증기 및 탄소가 생성되는 것과 안중근 의사를 화약의 화학반응에 빗대어 질산칼륨, 황, 탄소의 화학식을 사용하여 표현하였다. 그리고 '우리에게 독립의 발화점을 알려주네'라는 행에서 화학물질이 특정 온도 이상으로 가열되면 발화점을 넘어서 연소가 시작되는 점이 발화점과 과학의 화학변화 의미가 비슷하다고 느껴서 이렇게 표현하였다. 4연은 '그의 행동은 자유의 불꽃을 피우네'라는 행에서 폭죽이 타면서 불꽃을 피우는 것처럼 안중근의 이토 저격으로 자유의 불꽃을 피운다고 생각하였다. 5연은 '그의 희생은 우리 민족의 독립 의지 더욱 뜨겁게 달구네'라는 행에서 화학반응이 일어날 때 주변으로 에너지를 방출하여 온도를 높이는 것이 마치 안중근이 이토를 저격할 때 우리 민족의 독립 의지를 더욱 뜨겁게 달구는 것과 비슷하다고 느꼈다.

# 9 과학 수업
## 우리들의 추억

우리 아이들은 깜깜한 밤하늘에
핸드폰 빛으로 하늘의 별이 된 영웅에게
영웅의 마음을 그려봅니다.

우리 아이들은 영웅과 만남을 위해
그들만의 방식인 시, 시화, 소설로 표현하고
많은 학생들과 공감하고자 과학 시화전을 열어봅니다.

과학 교사 김영광

[라이트 페인팅] - 영웅 안중근을 핸드폰 빛으로 표현

23년 12월 11일 밤 별을 보며 우리 아이들이 영웅 안중근의 마음을 라이트 페인팅으로 하늘에 닿을 수 있게 표현합니다.

[과학 시화전] – 과학 시화 작품을 전시하고 함께 공유

[과학 시화전] – 과학 시화 작품을 전시하고 함께 공유

[과학 시화전] - 과학 시화 작품을 전시하고 함께 공유